Réveils mutins

Réveils mutins

François Parenteau

Les Éditions des Intouchables bénéficient du soutien financier de la SODEC et du PADIÉ et sont inscrites au Programme de subvention globale du Conseil des Arts du Canada.

LES ÉDITIONS DES INTOUCHABLES
4649, rue Garnier
Montréal, Québec
H2J 3S6
Téléphone : (514) 992-7533
Télécopieur : (514) 529-7780
Courriel : r-nann@sympatico.ca

DISTRIBUTION : DIFFUSION DIMEDIA
539, boulevard Lebeau
Ville Saint-Laurent, Québec
H4N 1S2
Téléphone : (514) 336-3941
Télécopieur : (514) 331-3916

Impression : Marc Veilleux Imprimeur
Infographie : Hernan Viscasillas
Illustration : Éric Godin
Dépôt légal : 1998
Bibliothèque nationale du Québec
Bibliothèque nationale du Canada

ISBN 2-921775-45-X

Remerciements :

Je tiens à remercier plusieurs personnes qui ont fait en sorte que ce recueil soit possible. D'abord, Isabelle Tanguay et Martin Larocque pour m'avoir donné ma première chance de chroniquer, et *La Course* pour m'avoir ouvert cette porte. Je remercie aussi Yvon Deschamps pour m'avoir donné le goût de faire rire sans que ce ne soit juste pour rire. Surtout, je remercie de tout mon cœur mes parents pour m'avoir appris (entre autres) à avoir du fun en s'ostinant.

Avis aux habitués de *Réveille-Matin* :

Les chroniques-récréations des aventures de « La Gang » ne font pas partie de ce recueil. Bien qu'elles aient fait partie de l'émission *Réveille-Matin* une fois par mois à titre de divertissement, au sein de ce recueil, elles donnaient plutôt l'impression d'être des digressions. Si vous en êtes déçus, veuillez le signaler à l'éditeur, j'en ferai des nouvelles et on publiera un autre livre…

ABRACADABRA : DES EMPLOIS !

Personne ne peut être contre la vertu. Et la vertu du jour, c'est l'emploi. Bien sûr, il y a la sécurité publique, la constitution, l'éducation, la santé, l'environnement et la place des femmes dans la société quand un journaliste pose une question là-dessus. Mais ce sont toutes là des priorités secondaires. La seule priorité prioritaire pour TOUS les partis politiques et les groupes sociaux, c'est la création d'emploi.

Schématisons : imaginons une tribu primitive indéterminée de chasseurs-cueilleurs. Supposons que par une belle journée d'été au village des Attaboys, on se rend compte que les tentes sont bien solides, que les manteaux pour l'hiver sont déjà prêts, que les paniers de fruits sont pleins et que le célèbre chasseur Buximi, à l'aide d'un arc spécial de son invention, a réussi à abattre à lui seul en deux minutes un shapagou géant qui suffira à fournir à la tribu de la viande pour toute l'année, même en laissant les tentacules aux chiens. En plus, l'animal a laissé une grosse ploc pour fertiliser le champ. Première constatation : il n'y a plus rien à faire. Deuxième constatation : Yé !

En langage moderne, ça voudrait dire qu'il n'y aurait plus AUCUNE job et que ce serait une bonne nouvelle! «Irkimiù!», crierait bien fort le grand Kourkoumi et ce serait la fête.

Ici, c'est très différent. Aujourd'hui, un Occidental sans travail est comme un Lapon sans renne. Esclave-né, il s'atrophie avec la disparition de sa fonction et ne devient bientôt qu'un appendice inutile qu'on coupe allègrement dès qu'il a le malheur de s'enflammer. D'autant plus qu'il y a toujours quelqu'un d'autre près de lui qui a deux ou trois fonctions et qui le regarde d'un mauvais œil tout en ne dormant que de l'autre (d'ailleurs, le compte est bon : ça fait deux). En effet, ce dernier travaille comme un fou jusqu'au burn-out.

N'est-ce pas absurde que l'épuisement professionnel existe en temps de pénurie d'emploi? Et qu'on fasse des heures supplémentaires? C'est aussi indécent qu'un sprinkler sur un terrain de golf d'une île des Caraïbes en voie de désertification ou qu'un outre-mangeur en Somalie. C'est indécent mais c'est compréhensible. Les deux phénomènes sont liés : celui qui a une job ne veut pas réduire sa charge de travail de peur de se retrouver dans la situation du sans-emploi qui n'a qu'un niveau de vie minimal.

Tout ça parce qu'il y a pénurie d'emploi. Or, en temps de pénurie, il n'y a qu'une solution : il faut rationner. Quand il y a une pénurie d'eau, on rationne l'eau. Pourquoi ne pas rationner l'emploi?

L'idée est lancée. Je ne crois pas que cette mesure de guerre économique soit très pénible à supporter.

C'est à peu près comme rationner le brocoli. Et ça pourrait facilement être aussi temporaire que l'impôt... c'est-à-dire permanent. Après tout, Richard Desjardins a raison quand il dit : « C'est pas une job que je veux, c'est de l'argent... » Donnez le choix entre l'enveloppe de paie et la chaîne de montage à n'importe quel travailleur et il va prendre l'enveloppe. C'est ce que ses boss font... L'Attaboy a beau aimer la chasse, il le fait d'abord pour sa ration de shapagou.

Ce qui est frustrant aujourd'hui pour celui qui travaille, c'est de voir l'ampleur de la ponction prise sur ses revenus pour faire vivoter ceux qui ne travaillent pas. Présentement, il doit accepter de travailler pour ceux qui ne travaillent pas. Et ça passe mal. Non pas tant parce que son propre travail ne lui rapporte pas, mais parce qu'il rapporte aussi à d'autres qui ne travaillent pas. Il n'est pas égoïste. Il est jaloux.

Si, au lieu de le laisser continuer à travailler comme une fourmi, on lui permettait de jouer les cigales pour que d'autres puissent travailler? Je fabule peut-être, mais je crois que la plupart des gens accepteraient volontiers de travailler moins. Il est vrai qu'il ne faut peut-être pas leur dire que c'est pour permettre à d'autres de travailler, mais la question n'est pas là.

Au lieu de regader la situation telle qu'elle est, on continue de faire miroiter la création d'emplois. Or un emploi, c'est un travail fourni pour fabriquer un bien ou offrir un service en réponse à un besoin. Et présentement, grâce aux miracles de la technologie, les besoins sont comblés sans que toute la population soit mise au travail.

Remarquez, c'est ce qu'on voulait. Les robots devaient nous libérer du travail et nous donner la civilisation des loisirs, nous faire retrouver le bonheur insouciant des Attaboys. Mais ce que ça nous donne, en réalité, ce sont des riches plus riches qui s'achètent de nouveaux robots et des pauvres plus pauvres qui ne peuvent plus s'offrir ce que les riches produisent avec leurs robots. Un jour ou l'autre, il va falloir donner la citoyenneté aux robots pour qu'ils payent de l'impôt ou il va falloir manger du riche.

Si on demande de créer des emplois, il faudrait au moins être logiques et aller directement à la source. Demandons d'abord qu'on crée des besoins. La publicité y met beaucoup d'effort mais ça ne marche pas assez. Ça prend des lois. Il faut consommer et faire consommer. De force, s'il le faut.

On dira que je fais de l'alarmisme économique. Pourquoi pas ? Rendons le système d'alarme obligatoire sur les autos. On va faire travailler des fabricants d'alarme. Ça, c'est de l'alarmisme très économique… Bien mieux : rendons l'automobile obligatoire pour tout citoyen de plus de 16 ans.

Le skidoo aussi, une fois parti. Obligatoire. Pas de skidoo en pleine tempête de neige ? Contravention ! On va en vendre des skidoos ! Chez nous, ça va être skidoo pas à peu près.

L'environnement ? On s'en tape. En créant des emplois qui polluent en amont, on crée de l'emploi pour dépolluer en aval. De l'État providence à l'État providanges. C'est ça la logique de la « création d'emploi ». Un arbre, ça ne crée de l'emploi que si on le coupe. La création d'emploi, c'est un castor monstrueux, un immense rongeur qui doit gruger tout, sans cesse, sinon ses dents vont pousser et lui percer la tête. L'homme est un rat pour l'homme.

Trêve de plaisanterie. Non seulement il est pratiquemment impossible de créer réellement de l'emploi mais on devrait l'interdire. Ce qu'il faut, c'est rationner, répartir l'emploi disponible, le temps de travail et, surtout, la paie qui va avec. Tout le reste n'est que de la grosse ploc de shapagou.

PUB QUI ROULE…

Je l'avoue, j'ai déjà travaillé en publicité. J'étais concepteur et rédacteur. J'ai même aimé ça. Je savais déjà que la publicité prenait souvent le consommateur pour une cruche mais, récemment, une goutte est venue me faire déborder. Ce fut comme un chemin de Damas. En fait, je roulais rue Papineau.

C'est l'heure de pointe du soir. Les rues sont encombrées de tas de ferraille qui abritent, pour la plupart, un seul passager (mais c'est une autre histoire). La circulation est dense. Soudain, un étrange véhicule se retrouve à côté du nôtre (au moins, nous, nous étions trois passagers). C'est une espèce de camion avec, au lieu de la caisse habituelle, une plate-forme allongée qui porte un panneau publicitaire annonçant un produit laitier aux fruits. Je découvre là une incroyable innovation dans le placement média publicitaire.

Suivez la réflexion : pour annoncer des produits aux automobilistes, les publicitaires peuvent mettre des panneaux au bord des rues et des routes, mais ceux-ci sont éloignés et, une fois qu'on les a dépassés, on les oublie. Il y a la radio aussi, mais peut-être, ô malheur, le consommateur est-il un auditeur de CBF ou pire, peut-être qu'il n'écoute pas la radio. Comment le rejoindre, alors? L'heure de pointe sur les ponts est une mine de consommateurs captifs. Les publicitaires, des gens pragmatiques et futés, en ont pris bonne note et ont su tirer profit de cette occasion.

Quelqu'un a eu l'idée d'envoyer des camions pavaner des pubs dans les rues. Le panneau mobile a l'avantage de se déplacer parmi les voitures. Par exemple, le pauvre consommateur cible rentre du bureau dans son auto non climatisée. Il est bloqué sur le pont. Il a chaud. Il a soif. Pendant une heure, il côtoie un lait frappé géant clairement identifié. Que pensez-vous qu'il voudra boire en arrivant à la maison?

Il n'a même pas le choix de ne pas regarder le panneau mobile, puisqu'il ne peut pas abandonner sa voiture et faire un tour ailleurs. Il est pris! On l'a eu! Le pire, c'est que cette idée a certainement valu une promotion à son concepteur. C'est pourtant inadmissible. Le camion ne transporte rien ni personne d'autre que son seul et unique chauffeur, dont le seul but est d'aller jouer dans le trafic, aller-retour, et de faire du surf dans les vagues d'autos. Ce n'est pas un autobus. Ce n'est même pas un camion de la compagnie effectuant une livraison du produit et qui en profite pour montrer ses couleurs. C'est une vulgaire plogue à roulettes, une auto-promo qui vient se jammer devant vous sur le pont.

Peut-être que j'ai été naïf. J'ai cru longtemps que la publicité était aux entreprises ce que le parfum est aux fleurs : une façon de séduire pour se faire butiner. Mais la publicité d'aujourd'hui, ici, ressemble plus aux plantes carnivores, aux chardons et aux pissenlits : elle attaque, elle s'accroche et elle envahit tout. Elle s'en fout de puer, elle vous aura à l'usure, à la quantité, au plus fort la poche.

Déjà, à la télé, je trouve insultant qu'on me passe la même pub de 15 secondes deux fois dans la même pause. C'est fait pour déjouer le zappeur : celui-ci regarde une émission qui l'intéresse ; arrive une annonce, il zappe. Puis, après une brève errance sur les autres canaux, il vérifie si la pause achève en revenant à la chaîne qu'il regardait. Et voilà ! Il attrape la fin de l'annonce qu'on a passée une seconde fois. Il s'est fait attraper !

On a même recours au terrorisme, en publicité. C'est en effet sur la peur que Loto-Québec mise avec ses affreux topos culpabilisants à propos de l'Extra. Le peuple a besoin de rêve et se rue sur les billets de 6/49 et de Super 7. Plusieurs des joueurs de ces grosses loteries ne sont pas intéressés par les loteries plus petites. Il y a pourtant là un marché. Mais comment l'exploiter sans promettre de gros prix ?

Ils ont trouvé un truc qui tient de l'extorsion de fonds : ils impriment systématiquement un numéro « extra » sur votre billet de 6/49 et de Super 7. Il ne vous reste qu'à payer 1 $ de plus pour le faire valider. Pour les prix que cela apporte, à un dollar le billet, cette loterie, si elle était autonome, serait peu populaire. Mais voilà, on la greffe aux super-loteries que les Québécois achètent en masse. On vous met le numéro sous les yeux et si vous ne le validez pas, vous pourriez vous en mordre les pouces.

Et leur publicité tape là-dessus! Sophie Lorrain se pète la tête sur les murs parce qu'elle a répondu « Non merci ! » lorsqu'on lui a demandé si elle prenait l'Extra. Comprenez bien : ça pourrait vous arriver! Bien sûr, vous pouvez ne pas regarder les résultats, mais ils sont écrits juste à côté des résultats qui vous intéressent. La pub du 6/49 nous dit que gagner ça ne change pas le monde, sauf que... Celle de l'Extra nous dit que perdre, ça change le monde en morons qui s'autoflagellent en scandant « non merci ! » d'un ton sarcastique. Nos loteries sont très olympiques : l'important, c'est de participer. Mais surtout, comme il serait bête de laisser passer sa chance. Comment résister ? OK, d'abord. Ils nous ont encore eus !

Parlons de Pepsi ! Pepsi ne se contente plus de nous faire choisir Pepsi, il nous suggère d'en boire beaucoup pour avoir droit à toute sorte de cossins ! Le marché stagne, les consommateurs de Coke et de Pepsi restent fidèles à leur marques et on ne fait plus de convertis. Recentrons-nous sur notre objectif : vendre plus de Pepsi. Solution : en faire boire plus à ceux qui nous ont déjà choisis grâce au méga-goulot et aux cossins ! Génial !

Mais bon, la pub, après tout, c'est ce qui finance la télé et je n'ai qu'à ne pas la regarder si ça m'énerve tant. Mais les véhicules-panneaux nous démontrent à quel point on a peu le choix. La publicité n'a aucune morale, aucune espèce d'éthique. Et c'est épeurant.

Vous me direz qu'un véhicule ne fait pas un embouteillage mais le principe même m'écœure. Ça devrait être déclaré criminel ! Non seulement les publicitaires ont le cynisme de considérer les embouteillages comme une richesse naturelle mais, en plus, ils contribuent à les densifier. Vous me direz que ça crée de l'emploi ? Ce raisonnement ne tient pas. On créerait de l'emploi aussi en permettant aux publicitaires d'envoyer des annonceurs dans les ruelles à 4 heures du matin avec des mégaphones pour crier le nom d'un produit à tue-tête pendant 20 minutes.

Vous, pauvres automobilistes, cessez donc de vous laisser niaiser de cette façon. Attendez-vous qu'un de ces véhicules ait une crevaison sur le pont et qu'il vous fasse attendre pendant des heures ? Plaignez-vous, faites des *fingers* aux chauffeurs de panneaux roulants, n'importe quoi, mais faites quelque chose ! Si le médium, c'est le message, à celui-là, de médium, je réponds que mon message, c'est le médius ! Si on continue à être incapables de dire « trop, c'est trop », où est-ce qu'on s'en va ?

Ne me dites surtout pas qu'on s'en va à la pause…

LES SONDAGES ME TAPENT À 100 %

Je suis tanné des maudits sondages. On est en train de virer fous avec ça. Je suis tanné de voir les spécialistes en analyser les données, le plus sérieusement du monde. Ces statistiques sont la plupart du temps comme la silhouette d'un pistolet dans une culotte de bikini : ce qu'elles révèlent est évident et pas très réjouissant, alors que ce qu'elles cachent est autrement plus intéressant. Mais, tels des ivrognes accrochés à un lampadaire, les analystes s'appuient sur les sondages sans que jamais ceux-ci ne les éclairent.

Lies, damn lies and statistics, dit le proverbe : des mensonges, des maudits mensonges et des statistiques. Quand, en plus, ces statistiques sont fondées non pas sur des faits mais sur des opinions (et le plus souvent, sur des sentiments), pire encore, sur des opinions choisis parmi une liste restreinte préétablie, je me demande ce que ça vaut. S'il fallait toujours donner raison aux sondages, la terre serait encore plate.

Si je me fie aux sondages, il semble que je sois très très très marginal. Chaque sondage me confine à sa plus petite proportion. Le 3 % qui veut qu'on laisse les graffitis sur les murs, le 2 % de gens qui voteraient OUI à la souveraineté même sous la menace de représailles militaires, le 0,5 % qui préfère le baseball au hockey, le 0,001 % qui aimerait que les taxes sur les autos augmentent… Alors, est-ce que je me dis : « Youppi, je suis marginal » ou si je me mets à faire des débats avec mon entourage dans le but de l'être de moins en moins ? Car c'est ce que les sondages ignorent : le potentiel de conversion à une idée. C'est comme les probabilités de M. Bit, pour les équipes sportives, qui ignorent complètement le facteur cœur.

Je me souviens qu'à l'école primaire, en cinquième année, notre prof Michel faisait voter la classe pour décider du sport que nous allions pratiquer pendant l'activité plein air de la semaine. Soccer ou kickball. Chaque fois, le résultat du vote était invariablement le même : les trois quarts de la classe votaient pour le kickball, un quart pour le soccer. Le fait que les toffes de la classe haïssaient le soccer y étaient évidemment pour quelque chose.

Après quatre périodes passées à jouer au kickball (quel jeu stupide !), je me suis levé dans la classe pour défendre les intérêts des amateurs de soccer. (Il faut dire que j'étais pourri au kickball.) Michel m'a fait remarquer que les trois quarts des élèves avaient voté pour le kickball et qu'il fallait respecter la démocratie. J'ai protesté en disant que si on voulait vraiment respecter la démocratie, il faudrait jouer une fois sur quatre au soccer. J'étais un petit ostineux. Michel m'a demandé de me plier à la majorité.

Ce que je fis. J'ai passé toute la partie de kickball suivante plié en deux, la tête entre les genoux. J'ai fait rigoler tout le monde. La fois suivante, Michel a décidé qu'il n'y aurait pas de vote et qu'on jouerait au soccer. J'ai raté ma vocation : j'aurais dû me faire lobbyiste ou syndicaliste.

Parce que, voyez-vous, après cette partie de soccer, tout a changé. Des élèves qui n'osaient pas avouer qu'ils voulaient jouer au soccer se sont mis à afficher ouvertement leur préférence. Le vote s'est resserré et on a fini par exercer notre droit au soccer. Il y a même eu «partition» de l'activité : en nous dotant de deux ballons, les uns pouvaient jouer au soccer et les autres au kickball. La minorité a été respectée sans que cela n'embête la majorité. Quel exploit! Michel aurait dû faire de la politique...

En effet, si, au lieu de nous laisser voter et débattre, Michel nous avait discrètement sondés, jamais la situation n'aurait évolué. Nous aurions toujours joué au kickball. Parce que c'était ce que nous voulions collectivement. À 75 %. Les marketeurs et autres stratèges se gavent de sondages pour savoir ce que les gens veulent de façon à pouvoir le leur donner (en fait, surtout à le leur vendre). Mais ils se gourrent. Les gens ne savent souvent pas ce qu'ils veulent, ou encore, ce qu'ils veulent peut changer rapidement. Ou plutôt : les gens savent secrètement ce qu'ils veulent mais, et c'est le désir le plus sournois de tous : ils veulent être surpris.

La plupart du temps, dans les choix de réponses que les sondages me proposent, aucun ne correspond à la vraie réponse que je donnerais. C'est d'ailleurs dans cette sournoise liste de propositions que s'exerce toute l'influence contrôlante des sondages. On nous amène à réfléchir dans un corridor bien délimité et on élimine ainsi toute réflexion personnelle. On m'a récemment appelé pour un sondage sur les médicaments contre la toux. À chaque marque évoquée, je devais dire si j'étais très d'accord, un peu, pas tellement ou très en désaccord avec un énoncé. Le sirop Benilyn est-il bon pour les enfants ? Pour les adultes ? Goûte-t-il bon ? Coûte-t-il cher ? Et le Robitussin ? Et le Pulmotoxin ? Et le crache-le-morceau ? Et le Dimetape-moi dans l'dos ? Et l'Élixir du Docteur Doxey ?

Selon ce sondage, je suis fiché comme étant de ceux qui considèrent les Contac-C comme « un peu » bon pour les enfants. Mais il n'y a pas de case pour : je n'en ai foutrement aucune idée. J'ai même demandé à la madame de rajouter ce choix mais elle ne pouvait pas : ça aurait dérangé ses données. Voilà ce que c'est que d'avoir une opinion autre que celles qu'on vous offre : on dérange les données. On vous élimine. Alors les gens disent n'importe quoi. Pour tromper la solitude ou pour se rassurer de ne pas être anormaux. Je suis sûr que si, à une question donnée, le sondeur disait au sondé : « Êtes-vous sûr? Vous êtes le premier sur 200 à répondre ça ! » un bon pourcentage de gens changeraient leur choix…

Je crois à l'instinct, je crois à l'intuition des poètes, à la sensibilité des artistes et des créateurs, au bon sens des individus. Et je ne suis pas le seul car 75 % de mes amis sont d'accord avec moi. Pour une fois…

LES FAUSSES CERTITUDES DE L'INCERTITUDE POLITIQUE

Je suis pompé contre l'incertitude politique. Pas en tant que fait, mais en tant qu'argument utilisé à toutes les sauces. Je trouve que l'incertitude politique a le dos large. Selon une grande majorité de nos économistes, l'incertitude politique serait la cause de tous les maux du Québec et du déclin de Montréal en particulier.

D'abord, je trouve bizarre qu'on accorde tant de crédibilité aux économistes. On leur prête d'office le rôle de prophètes modernes, alors qu'ils ont fait la preuve, collectivement, année après année, que le taux de succès de leurs prédictions est largement en deça de celui des météorologues et même des astrologues. Si ces gens se trompent tant sur l'avenir, c'est sans doute que leur vision du présent est quelque peu déficiente. Elle m'apparaît surtout d'une inavouable logique.

Certains diront qu'en minimisant les effets de l'incertitude politique, je ne fais que me défendre en tant que méchant séparatiste. Mais la question n'est pas là. Dans un article paru en page quatre de l'hebdo anglophone *Hour* du 3 juillet, Peter Scowen trace un parallèle très éclairant, et d'une grande rigueur intellectuelle, entre Montréal et Hong Kong. Si Peter Scowen pouvait avoir autant de prestige que Mordecaï Richler aux États-Unis, il s'y dirait moins de niaiseries sur notre situation.

Le Royaume-Uni vient de rétrocéder Hong Kong à la Chine. Une des villes phares du capitalisme international vient de tomber dans le giron d'un géant communiste totalitaire. La Chine a beau promettre de préserver les avantages capitalistes de Hong Kong, on a ici affaire au pays qui a écrasé les étudiants de la place Tien An Men. Mais les économistes sont optimistes. Les Canadiens en premier lieu, d'ailleurs. Prudents mais surtout optimistes. Ce sera Business as usual. L'incertitude apparaît ici comme un facteur négligeable.

Pourtant, à Montréal, l'incertitude fait mal aux économistes et gens d'affaires. La souveraineté a beau se proposer comme un choix démocratique exprimé par une majorité, ça fait peur. Le Québec n'a pas de tradition totalitaire et n'a jamais porté gravement atteinte aux droits de la personne, mais on sent que ça pourrait commencer n'importe quand. On traite de naïfs ceux qui disent Business as usual. C'est le fameux trou noir de Jean Charest. Selon les économistes, il n'y a qu'à constater l'état actuel de Montréal pour saisir l'ampleur des méfaits de l'incertitude.

Quand j'étais petit, une superstition voulait que marcher sur les craques de trottoir donne le cancer. On se mettait à marcher tout croche pour les éviter, car la preuve était irréfutable : les cancéreux ont tous, un jour ou l'autre, marché sur une craque de trottoir. C'est le même genre de logique qui conduit à conclure que l'immigration ou la place des femmes au travail est la cause du chômage. On montre du doigt de soi-disants coupables. Ici, la source de l'incertitude, ce sont les méchants séparatistes. Ce sont eux la cause de tous les maux. On imagine déjà ces derniers se réjouir devant les vitrines placardées et, mus par une fièvre inconsciente d'adolescents, planter le fleurdelysé dans les ruines des usines. De laisser entendre de telles absurdités n'est pas seulement simpliste, c'est hypocrite.

Tout comme le chômage, les problèmes économiques de Montréal ont de multiples causes. N'oublions pas que le gouvernement canadien, dans un effort historique, a construit la voie maritime du Saint-Laurent. Ce beau canal a permis aux bateaux, qui devaient auparavant vider leurs cales à Montréal, de nous passer sous le nez, direction Toronto, Chicago et Détroit. À peine prennent-ils le temps aujourd'hui de ralentir à Montréal pour prendre au passage la traditionnelle canne à pommeau d'or décernée au capitaine dont le bateau est le premier de l'année à accoster au port. Une économie boiteuse qui gaspille ainsi ses cannes ne peut finir que par tomber en pleine face.

L'argument de l'incertitude n'est qu'un chantage de gens d'affaires. On n'a qu'à observer les investissement de certaines entreprises, qui appartiennent pourtant à des fédéralistes canadiens, dans des régions du monde autrement plus troublées que le Québec : Bombardier en Irlande du Nord, par exemple, et plusieurs autres en Haïti, au Mexique et à Hong Kong. Dans ces derniers cas, cependant, l'instabilité politique est largement compensée par la présence d'un cheap labor abondant, ainsi que par l'absence de charges sociales et de règlements environnementaux.

En brandissant l'instabilité politique comme raison de leur départ ou de leur choix d'investir ailleurs, ces mutinationales espèrent faire monter les enchères. Pour conserver leur intérêt, le Québec doit relever sa robe. Et à plus forte raison sous un gouvernement souverainiste qui doit absolument rassurer les marchés pour poursuivre son rêve. À voir aller le gouvernement Bouchard avec ses coupures dans l'éducation et la santé, ainsi que son laxisme dans le domaine de l'environnement, ça a l'air de fonctionner.

L'incertitude politique existe, bien sûr, mais elle n'est qu'une craque dans le trottoir : ce n'est pas une raison pour se mettre à marcher tout croche.

LA VIE N'EST PAS UN PIQUE-NIQUE*

Je suis en beau Shnacker Blacker.

C'est bien beau les pique-niques mais comment peut-on pique-niquer de nos jours avec tous les empêcheurs de pique-niquer en rond ? C'est à croire qu'il y a complot. Nous n'avons plus droit aux joies simples d'une nature généreuse et accueillante. Disons-le carrément : la mère nature n'est plus de notre bord et nous l'avons bien mérité.

Parlant de petites mères nature, oublions tout de suite les petits déjeuners sur l'herbe le moindrement osés. La célèbre toile n'aurait jamais pu être réalisée au Québec. Prenons comme exemple la réaction du maire d'Oka devant quelques déshabillages intempestifs ayant eu lieu sur sa plage. Au Québec, nous pique-niquons. Pour le *peek-nichons,* il faudrait se rendre en Ontario, où le port du sein de femme est désormais permis. C'est loin un peu, l'Ontario.

Ici, il faut rester vêtu. Et parlons-en, d'habillement. Peut-être est-ce mon côté Amish mais je trouve que les gens ne savent plus s'habiller en harmonie avec la nature. On dirait que la majorité des gens profitent de leur temps libre pour se transformer en panneaux-réclame ambulants. Je ne suis plus capable de voir ces t-shirts Guess et Tommy Hilfiger, ces insoutenables logos d'équipes sportives et la plupart du temps américaines, sans compter l'hypnotique *swoosh* de Nike, véritable herbe à poux visuelle.

Quand je pense qu'il faut payer plus cher pour porter des vêtements qui ont une image de marque, ça m'écœure. Le pire, c'est que les enfants sont les plus touchés par cette frénésie. Le marketing des MacDo et compagnie a presque élevé au rang d'uniforme obligatoire les maudits t-shirts à l'effigie du roi Lion, d'Hercule et d'autres, qui sont fabriqués en Haïti par des femmes carrément exploitées. J'aimerais mieux voir tout le monde torse nu que de soutenir une nouvelle agression publicitaire. Mais nous ne sommes pas en Ontario.

Ce n'est pas la seule agression qui guette le pique-niqueur. Si le bord d'un lac est un endroit privilégié pour la boustifaille à ciel ouvert, il faut savoir qu'il s'agit également d'un territoire infesté des moustiques les plus insupportables qui soient : les motomarines. Quand ils ne happent pas tout simplement quelques baigneurs au passage, ces engins sillonnent les eaux de long en large en produisant le bruit d'un maringouin qui investirait l'entrée de votre oreille, armé d'un mégaphone.

Si un tel bruit était produit par un animal sauvage, il y a longtemps que cette espèce aurait disparu. Bombardier annonce la venue prochaine d'un modèle moins bruyant mais, en attendant, si on veut trouver un lac calme, il faut aller là où la loi interdit cette stupide activité. En Ontario.

Sinon, il faut s'éloigner des berges et pique-niquer dans les champs. Mais là aussi, quelque chose me pompe. Cette sale manie bureaucratique de ne plus pouvoir appeler les choses par leur nom. Il n'y a plus de ces charmants petits chemins à travers bois au Québec. Plus de forêts. Il n'y a que des sentiers d'interprétation de la nature.

Voulez-vous bien me dire à quoi ça rime? T'interprètes quoi? Ce que veut dire pour toi un bouleau pleureur? Le sens profond de la quenouille? Il y a même quelque part un centre d'interprétation du saumon. Qu'est-ce que j'irais faire là? Me coucher à plat ventre dans l'eau en frétillant la bouche ouverte? Musée du saumon, c'était trop simple, pisciculture aussi? «Ah, les beaux samedis après-midi, étendu au soleil au centre d'interprétation.» Non, ça ne colle pas. J'ai l'im-pression de participer à une expérience scientifique. Où faudra-t-il aller en Amérique pour trouver une terre où la langue française n'est pas ainsi aseptisée ? En Ontario?

Mais bon, il y a toujours moyen de faire fi de tous ces inconvénients. Il n'y a qu'à trouver un coin tranquille, qui ne sent pas trop le purin, et à y poser notre panier. Mais attention, un ennemi nous guette toujours.

Jamais je ne préviendrai assez la population des dangers que représentent les tomates. Ingrédient supposément incontournable de la bonne nappe (à défaut de table dessous), les tomates sont une menace sournoise. À peine glissée dans un sandwich, la tranche de tomate n'attend que le moment propice pour s'éjecter d'entre les tranches de pain et choir sur votre belle chemise d'un blanc de catalogue printemps-été.

C'est à croire qu'on a maintenant affaire à une variété mutante concoctée par les fabriquants d'eau de Javel. Ça donne une tranche assez ferme pour ne pas s'écraser dans le sandwich mais trop lubrifiée pour y rester. Comme on pose les mains sur le sandwich de façon à pousser son contenu vers notre bouche et que l'on en bloque l'arrière pour empêcher les fuites, la tomate se trouve propulsée vers nous. C'est balistiquement infaillible.

Je conseille donc à tous de faire preuve d'une extrême prudence avec les tomates. Le plus simple serait bien sûr que tout le monde puisse enlever sa chemise et manger torse nu. Mais nous ne sommes pas en Ontario...

* Le pique-nique était, ce jour-là, le thème de l'émission.

CASTRATION TÉLÉVISUELLE

C'est un immense ras-le-bol que je veux exprimer cette semaine. Un compost de vieilles colères renfermées. Je veux parler de notre télévision, et plus particulièrement de la télé qui s'adresse aux jeunes adolescents. Je tiens à préciser que je ne parle pas ici des émissions pour enfants. Je parle de ces émissions où on prend encore pour des enfants ceux qui n'en sont déjà plus, et pour des imbéciles ceux qui ne le sont peut-être pas encore.

Depuis maintenant trois ans, je fais partie de l'équipe d'auteurs qui écrit les textes du sitcom Radio-Enfer, diffusé au Canal Famille. L'émission connaît un vif succès mais je n'en suis qu'à moitié fier. La rectitude politique et l'étroitesse d'esprit auxquelles nous avons été trop souvent confrontés me font craindre le pire.

Je suis d'accord sur le fait qu'on veuille présenter aux jeunes un portrait d'eux-mêmes autre que celui de jeunes fuckés qui se lisent entre eux des dialogues sortis de dépliants de café chrétien. Des jeunes qui ne se droguent pas, ne se prostituent pas et ne sont pas alcooliques, ça existe. Je crois même qu'il y en a beaucoup. Mais pourquoi, lorsqu'on ne veut pas montrer des jeunes à problèmes pour moraliser sur leur cas et qu'on veut s'amuser, on ne présente que de beaux jeunes parfaits pour qui un personnage rebelle, c'est le frère André avec un coat de cuir…

Nos personnages, qui ont autour de 15 et 17 ans, n'ont **jamais** fumé de cigarette et encore moins de drogue. Ils n'ont **jamais** commis de vol ou de vandalisme, n'ont **jamais** mentionné le mot suicide, n'ont **jamais** consommé d'alcool, sauf une fois où un personnage a été soûlé à son insu —sinon ça ne passait pas—, et non seulement ils n'ont **jamais** eu de relations sexuelles, mais ils ne semblent même pas y penser. Entre 15 et 17 ans, en pleine poussée d'hormones. Me semble. Ce ne sont plus des jeunes, ce sont des schtroumpfs.

On nous ramène à l'époque de l'index. Dans un exercice de mime avec une banane, un personnage faisait semblant que c'était son pénis. «Ouache, coupez-moi ça!» C'est vraiment castrant. Et ces pervers voient même du méchant sexe là où il n'y en a pas du tout. Un personnage se présentait aux élections scolaires contre une candidate qui s'appelait Amélie Thivierge-Côté. Il prononce un discours dans lequel il invite l'électorat à mettre Amélie Thivierge de côté. Les protecteurs de jeunes y ont vu une connotation sexuelle. Mettre de côté! La pognez-vous? Ça me fait mal juste d'y penser… Faut vraiment être fait croche pour voir une position là-dedans…

En fait, ces psychologues et pédagogues semblent avoir un rapport un peu malsain avec le corps humain. Ils nous ont même fait chercher un terme moins choquant pour le verbe puer. On peut traiter quelqu'un de «paquet d'os» mais les jokes de gros sont à proscrire complètement, même si un de nos personnage est assez baquet. N'importe quel gros dans n'importe quelle école sait très bien qu'il aura son lot de sarcasmes à endurer. Comme n'importe quelle fille pas de seins, n'importe quelle nerd à barniques, n'importe quel pas beau. Nous avons le devoir de rire de ça aussi.

Les personnages féminins ont droit à des égards très particuliers. Nous faisions référence dans une émission à une fille qu'on disait laide. Ils nous ont dit que c'était méchant. Et la méchanceté n'existe pas chez les jeunes. On a changé pour un gars laid et il n'y avait plus de problème. La mère d'un personnage était une marâtre. Ils n'ont cessé de nous demander d'adoucir ce portrait malhonnête. N'oublions pas que nous cherchons à faire rire et que la caricature est un recours assez standard. D'ailleurs, le père d'un autre personnage est un tyran et ça ne les dérange pas du tout.

Je sais que le Canal Famille n'est pas une exception. Il fut une époque où les consignes d'écriture du Club des 100 watts exigeaient que s'il y avait un conflit entre les personnages adultes et les jeunes, les jeunes devaient toujours avoir raison. Je trouve déjà la recette un peu dangereuse. Mais en plus, s'il y avait conflit entre un jeune et une jeune, c'est la fille qui devait toujours l'emporter ! J'aurais trouvé normal qu'on demande aux auteurs de faire attention pour équilibrer les victoires. Mais imposer que seules les filles aient raison à chaque débat, je trouve ça très gros. Enveloppé, en tout cas...

Le problème, c'est que partout, les décideurs n'ont qu'un seul souci : éviter les plaintes des parents. Les remontrances du moindre pet-sec bigot et borné les font trembler dans leurs culottes. Alors, ils nous balisent. Et leurs commentaires sont d'autant moins pertinents que presque aucun d'entre eux n'a déjà fait de travail de création dans sa vie. D'après nos décideurs, il n'est pas utile d'avoir déjà écrit pour savoir guider des auteurs. Ils ne savent pas ce que c'est que de maintenir une tension dramatique, ou d'avoir recours aux faiblesses d'un personnage pour faire rire. En fait, ils n'ont qu'une job : sauver leur job. Pourtant, ils bénéficient d'une sécurité d'emploi que je n'aurai jamais et ils ne font que parasiter mon travail. Mais le pire, c'est qu'à force de protéger leurs jobs à court terme, ils sont en train de perdre notre télévision à long terme. Ma job, et la leur.

Pour réaliser des émissions de télé populaires, il ne faut pas avoir peur de choquer une certaine minorité rétrograde qui a le doigt rapide sur le *touch-tone*. Je ne parle pas ici d'incitation à la débauche. Je ne demande que le droit à une caricature d'un certain réalisme. Présentement, un jeune qui connaît un peu l'anglais pourra voir, sur YTV et ailleurs, des émissions pour jeunes (humoristiques et autres) beaucoup plus près de sa réalité que ne peuvent l'être les émissions québécoises. À force de les regarder, cette réalité deviendra la sienne et notre télé, ultimement toute notre culture tant tout passe par la télé aujourd'hui, lui apparaîtra comme ringarde, dépassée, sclérosée. Et il aura raison. Je connais des jeunes qui en sont déjà là.

Cette culture, c'est ma job. Ne venez pas me dire que les Américains ont plus de moyens que nous. Ils ont surtout plus de *guts*. Même si nous en avions eu les moyens, jamais nous n'aurions pu faire Les Simpsons au Québec. Nos pédagogues et autres logues n'auraient jamais laissé passé un tel déplorable exemple de famille dysfonctionelle dans une émission pour les jeunes. C'est pourtant une formidable émission. On l'a même traduite ici, puisque ça avait déjà marché ailleurs.

Pour créer de tels succès ici, il faudrait que nos décideurs-télé aient un peu de couilles. Mais pour eux, même le mot est à couper.*

* Bonne nouvelle : dernièrement, j'ai eu l'occasion de retravailler pour le Canal Famille et on y semblait beaucoup plus ouvert à l'audace. Tant mieux si ma montée de lait a pu aider. J'espère seulement que ça va continuer.

LA VRAIE MALÉDICTION DU STADE OLYMPIQUE

Si la tendance se maintient, le mmmaudit Stade olympique aura bientôt fait une nouvelle victime : les Expos. Aux dires du président Claude Brochu, il lui faut un nouveau stade au centre-ville, sinon il sera contraint de vendre l'équipe et Nos z'amours ne feront plus partie de notre quotidien estival.

Que le stade Taillibert ne soit pas idéal pour le baseball, je suis bien d'accord. De toute façon, le Stade olympique n'est idéal que pour une seule activité : les études de firmes d'ingénieurs. Depuis qu'on a décidé qu'il restera couvert en permanence (quelle aberration, d'ailleurs, mais c'est une autre histoire), les Expos perdent quand il fait beau les spectateurs qu'ils gagnent lorsqu'il pleut. Même par un été pourri, on y perd au change : qui veut s'enfermer sous un gigantesque maxi-pad orange par un bel après-midi d'été ? Après tout, le baseball ne sera toujours qu'un délicieux prétexte pour se faire bronzer.

M. Brochu charrie avec sa croisade pour un nouveau stade. Il n'y a pas si longtemps, lui-même affirmait que le Stade olympique était le meilleur endroit pour le baseball dans toute l'Amérique.

Si ce sport n'a cessé d'y péricliter, ces dernières années, c'est donc pour d'autres raisons. Entre autres, la couverture médiatique des Expos fait pitié. À part le hockey, peu de chose peut attirer nos journalistes sportifs dans des villes comme Philadelphie, San Diego ou Cincinnati. Surtout s'ils peuvent suivre le cirque snobinard de la F-1 à Buenos Aires, Rio de Janeiro et Monaco, par exemple. Ronald Corey a réussi à placer des ex-joueurs et entraîneurs de hockey dans presque toutes les émissions sportives de la télé et de la radio ; donc, on parle de hockey. Comme si ce n'était pas suffisant, il y a même un ancien arbitre de hockey qui sévit sur nos ondes. Résultat : le baseball se fait monter dessus par le hockey à la moindre occasion, et souvent par n'importe quoi d'autre. Les statistiques de baseball dans nos journaux sont très sommaires comparativement à ce qu'on trouve dans n'importe quel autre journal d'Amérique du Nord. C'est pourtant un bon moyen d'apprendre les subtilités de ce sport.

Claude Brochu n'a aucun pouvoir là-dessus. Comme qu'on dit dans le monde du sport, il ne faut pas se laisser décourager par les choses qu'on ne contrôle pas et plutôt se concentrer sur ce qu'on peut faire. Mais même là, Brochu n'a pas une grosse moyenne.

Il oublie trop facilement que toute équipe qui échange ses meilleurs joueurs année après année contre d'obscurs piochons voit ses fans l'abandonner. Il faut comprendre ceux-ci : ils ne veulent pas trop s'attacher. S'il pouvait, juste une fois, aller chercher une mini-vedette pour nous laisser croire qu'il essaie de former une vraie équipe, peut-être qu'on reprendrait espoir. Mais les Expos préfèrent échanger un joueur au sommet de son art contre de jeunes espoirs qui en sont encore à apprendre leur alphabet dans les 3A. Le résultat, c'est que l'avenir de l'équipe est de plus en plus brillant, alors que son présent ne s'éclaircit jamais.

Malgré tout, Felipe Alou fait des miracles et les Expos demeurent relativement compétitifs. Mais tout ça se passe devant des foules faméliques. Pourquoi ? Le stade. Le mmmaudit Stade olympique. Désolé, M. Brochu, mais ce qui me fait le plus enrager au stade, c'est ce qui se passe en dedans.

Les placiers ressemblent à d'anciens frères surveillants de bibliothèques recyclés en casseux de party professionnels. Pas le droit d'avoir des pancartes, pas le droit de lancer des avions, pas le droit de s'asseoir à la place de quelqu'un qui aurait payé plus cher mais qui n'est pas là. Suprême injustice, au stade, on accorde un traitement de faveur à des riches qui ne sont pas là au détriment des pauvres amateurs qui sont présents. Parlant de sièges, avez-vous remarqué que le Stade olympique est le seul endroit au monde où les sièges vides font plus de bruit que ceux qui sont occupés ? Mais ça, c'est une autre histoire.

Tant qu'à échanger des vedettes, aussi bien échanger Youppi. Le grand orange angora a ralenti : il y a longtemps que je ne l'ai pas vu voler un but sur les abris. L'orgue a été remplacé par un sampler fatiquant qui assomme la foule à coups d'applaudissements synthétisés et de « Ηého! » à répondre. Plus moyen de crier, de scander, de chanter spontanément. On écoute le DJ. On regarde l'écran. On est dans son salon dans un fauteuil moins confortable.

Et on nous inonde de promotions ridicules. La Course Ford met en jeu à l'écran des autos carrées comme des dessins d'enfants (sans talent) au son de la marche de la cavalerie. Et l'annonceur maison de faire sa description à la Blue Bonnets pour déclarer l'Escort gagnante. On applaudit cette stupidité programmée par ordinateur alors que le spectacle *live* du match ne récolte qu'un petit pop-corn d'applaudissements.

Au lieu de danser allègrement à tout moment dans le match, les spectateurs en sont venus à attendre la demi-manche Guess où ils peuvent être récompensés de leur grouillage par un formidable prix. Assommés par les commandites. Mais le pire, c'est la demi-manche des balais Oskar où on a tranformé le travail des préposés au terrain en course contre la montre. Alors qu'ils ratissent les cercles de terre battue, la foule les pousse à battre leur record. Du pur stakhanovisme. Sont pas syndiqués, eux autres ? À Montréal, ce ne sont pas les joueurs vedettes qui récoltent des contrats de commandite : ce sont les balayeurs ! Heille, chose, c'est un match de baseball que je veux voir, pas ces naiseries-là !

M. Brochu préfère empocher à court terme l'argent de ces commandites, plutôt que de travailler à l'enracinement du baseball dans le cœur des Montréalais. À mon avis, quoi qu'il arrive, son intention est de vendre. Il a bien appris la leçon de Marcel Aubut. J'en veux pour preuve que, quand il dit que ça ne va pas bien pour les Expos, il n'est jamais très précis. Souvenez-vous lorsque, au début des conflits entre les joueurs et les propriétaires, les joueurs ont demandé aux proprios d'ouvrir leurs livres pour qu'on puisse constater les revenus. Les propriétaires n'ont jamais voulu.

Il y a une expression qui revient sans cesse : manque à gagner. On ne parle pas de dette ou de déficit. On parle de manque à gagner. On ne gagne pas assez. On gagnerait plus à vendre. Pourquoi les Expos ont-ils reçu durant plusieurs années les honneurs de « l'organisation de l'année » pour l'excellence de leur gestion ? Ce n'est certainement pas parce qu'ils perdaient des tonnes d'argent.

Ainsi, Brochu a son prétexte pour vendre : le mmmaudit stade ! Je pense qu'il ne faut pas le laisser faire, car le baseball a un rôle important à jouer à Montréal. Au-delà des retombées économiques. Notre passion pour le hockey nous relie aux pays nordiques, notre engouement pour la formule Un dénote un certain européanisme, le soccer révèle notre pluriethnicité et l'enthousiasme (faiblard) pour le football canadien traduit bien notre lien avec le Canada ; le baseball, quant à lui, représente notre lien avec l'Amérique. Les Amériques. Dans les revues de baseball, on parle de Montréal comme d'une ville fascinante, de culture différente, et on va même jusqu'à vanter son stade qui se trouve à proximité du centre-ville ! Felipe Alou, respecté partout, a déclaré en entrevue qu'il restera toujours loyal à ce coin de pays où les gens ont su le reconnaître pour sa valeur et où le racisme sévit moins qu'ailleurs. Il est la seule bonne réplique qu'on ait aux États-Unis aux propos de Mordecaï Richler et, en plus, ça se trouve dans les pages les plus lues, les pages sportives !

Alors, je dis : si les Expos ne perdent pas d'argent, nationalisons-les carrément! Puisqu'on nationalise les courses de chevaux, pourquoi ne pas le faire pour les courses au championnat? À tout le moins, nationalisons Felipe Alou. Et remettons le fun dans le stade. N'importe lequel.

DEPUIS QU'Y ONT CONSTRUIT LE CENTRE D'ACHATS.

Je suis en beau Schnacker Blacker encore une fois. Un phénomène assez récent de notre aménagement urbain m'exaspère au plus haut point : les magasins à grande surface.

Il n'y a pas si longtemps, c'était la mode des centres commerciaux de banlieue. Il suffisait pour le promoteur de raser un bout de forêt dûment dézonée par quelques amis politiques, d'y planter un bloc de béton entouré d'une grosse flaque d'asphalte et de baptiser le tout Les Promenades du boisé, pour conserver l'aspect champêtre. Soit dit en passant, avez-vous déjà remarqué que tout projet issu d'un promoteur implique un gros stationnement? Pro-moteur. La sémantique est on ne peut plus claire...

À l'intérieur, il aurait été possible de créer quelque chose de sympathique avec des boutiques, des restaurants et tout. Une espèce de condensé de la rue Sainte-Catherine scellée sous vide. Mais on en a trop fait et, aujourd'hui, certains de ces centres d'achats ressemblent à ce qu'ils ont provoqué dans la rue Sainte-Catherine : un ramassis de locaux vides placardés de contreplaqué. Sans la mode du roller-hockey, les grands stationnements de ces centres commerciaux seraient bien vides…

Les magasins à grande surface, c'est autre chose. On assiste là à l'apogée du néolibéralisme, du culte de l'économie d'échelle : des allées assez larges pour y faire circuler des tanks, des carosses dans lesquels le Grand Antonio pourrait passer pour un poupon dans son landau. Tout est énorme. Et on trouve de tout en quantité astronomique. Ils ne se gênent même pas pour le dire : « On en achète plus, donc on a les meilleurs prix, donc, on en vend plus, donc on en achète plus… » Et on continue dans la spirale infernale de la saucisse Hygrade.

Les Club Price et autres Wal-Mart sont des monstres. Ils représentent le croisement entre un magasin général et Godzila : on a beau trouver de tout à l'intérieur, autour, c'est la désolation. Les petits commerces ne peuvent plus survivre. Ceux-ci ont plus d'employés à payer par mètre carré. Ils n'ont pas de place pour entreposer 800 kilomètres de papier de toilettes. Alors, ils étouffent. La quincaillerie de quartier est en voie de disparition.

Notons qu'à l'arrivée de ces magasins gigantesques, on prévoyait de telles conséquences et on se méfiait. Mais le Club Price, pour un, a trouvé une astuce afin de rassurer tout le monde. « On ne compétitionne pas les commerces de détail, a-t-il proclamé : on fournit les entreprises ». C'est pour cette raison qu'il faut une carte de membre. C'est supposément pour fournir les restaurants en savon, et les bureaux en crayons…

Évidemment, on a bientôt crié à l'injustice : «Pourquoi un tel pourrait profiter de prix ridicules sur un Jeroboam d'huile à bronzage et pas moi?» Alors, sous les pressions des consommateurs, on a assoupli les règles du membership et on a abouti à un magasin comme les autres. Il est clair que ces entreprises charrient quand elles déclarent qu'elles s'adressent aux entreprises. Il se trouve au Club Price des méga-caisses de boîtes de condoms. Voulez-vous bien me dire quelle entreprise peut légalement avoir besoin de ça?

Zellers nous l'a dit : le prix le plus bas fait loi. On a vu, d'ailleurs, à quels extrêmes cette loi peut les pousser avec leurs mises à pied sauvages. C'est la loi du plus cheap. De plus, ce sont les travailleurs qui paient la note : un magasin à grande surface tue 15 petits commerces et les 150 employés qui y travaillaient se retrouvent à faire la queue pour arracher un des 15 postes créés.

Les grandes surfaces sont des cancers urbains. Il faudrait les interdire. Du moins, imposer de sévères taxes à leur démesure. À ce que je sache, l'étalement urbain n'est pas une forme de liberté d'expression. Je sais bien que les consommateurs courent après les bas prix qu'on trouve dans ces magasins. Mais s'il n'y avait aucun des ces paquebots du rabais, on n'aurait pas le choix. Ou plutôt, on aurait collectivement fait le bon choix. La différence des prix entre les commerces à dimensions humaines et ceux à la mesure des 747 ne serait ni plus ni moins qu'une taxe servant directement à la redistribution d'emplois, et, de plus, cela revitaliserait les quartiers.

Les consommateurs n'iront tout de même pas jusqu'à Boston pour épargner deux dollars sur une chaudière de beurre de pinottes! Du pain, ça s'achète frais chaque jour à l'épicerie du coin. Et puis, c'est bien meilleur que du pain congelé sorti d'un container!

J'ai récemment entendu parler qu'un tel magasin, au Lac-Saint-Jean, a été systématiquement boycotté. Ça, c'est du gros bon sens. Envoyons des hordes de jeunes en rollerblades monopoliser les station-nements aux petites heures du matin. Ainsi, les mégastores seront obligés d'engager quelques gardes de sécurité de plus.

Ce serait sympathique, n'est-ce pas, qu'anglo-phones et francophones se tiennent côte à côte pour manifester leur désaccord devant un magasin à grande surface, pour des raisons autres que linguistiques? Je suis prêt à me rendre n'importe quand à une telle manifestation, mais j'attends vos appels : moi, je n'ai pas d'auto. Et je veux continuer à ne pas en avoir besoin pour aller acheter mon pain.

CETTE PARTITION QUI NOUS FAIT CHANTER

Il y a une gang d'hystériques qui commencent à me taper dangereusement sur les nerfs : les partitionnistes. Cette bande de croque-mitaines s'agitent et envahissent les hôtels de ville de l'Ouest de l'île de Montréal et de l'Outaouais. Leur activité principale est de faire voter des résolutions municipales stipulant qu'advenant un OUI à la souveraineté dans un prochain référendum, la municipalité en question demeurerait canadienne. Ils vont même jusqu'à demander l'aide de l'armée canadienne.

Je ne veux pas tomber dans la généralisation anglophobe mais il me semble que les leçons de l'histoire sont claires : là où les Britanniques ont conquis et colonisé des peuples qui ont par la suite revendiqué leur autonomie, ça s'est souvent passé de cette façon. Vous voulez que l'Irlande sorte du Royaume-Uni ? Très bien, mais on garde l'Irlande du Nord. On connaît le résultat.

Leur profonde logique ? Si le Canada est divisible, le Québec l'est aussi. Selon eux, les municipalités, créations juridiques des provinces, peuvent se dissocier d'une décision prise par le

Québec en son entier et s'y soustraire automatiquement. Ces anglophones et les quelques hurluberlus à la Guy Bertrand qui sont leurs sympathisants demandent à Ottawa d'intervenir.

Dans l'éternel combat de boxe référendaire, ils participent seulement si ce sont les souverainistes qui se font planter. Lorsqu'ils commencent à sentir le vent tourner, ils veulent que l'arbitre arrête le match. C'est assez bébé. Si l'on considère la moyenne d'âge des partitionnistes, on se dit que ça doit être un retour d'âge. Ils disent : « Le mouvement séparatiste est mort sinon je ne joue plus ! » C'est très mauvais perdant mais c'est dans l'ordre des choses : ce sont les peuples dominés qui sont bon perdants…

D'ailleurs, on aurait pu prendre l'initiative, là-dedans. Si Parizeau avait pris quelques cognacs de plus le soir du 30 octobre 95, il aurait pu arriver en disant : « J'ai une bonne et une mauvaise nouvelle à vous annoncer. La mauvaise, c'est que l'Outaouais ne fait plus partie du Québec. Et la bonne c'est qu'on a gagné ! » J'aurais bien aimé leur voir la face aux partitionnistes !

On a beau leur expliquer que nous avons respecté les verdicts précédents pour l'ensemble du territoire, que si on avait suivi leur logique, la République du Saguenay Lac-Saint-Jean aurait 20 ans en l'an 2000, ils ne veulent plus rien entendre. Il faut dire que dans plusieurs cas, l'âge les a rendus assez durs de la feuille (d'érable)…

Mettons que j'accepte leur logique, mettons. Et c'est déjà un gros « mettons ». Si le Canada est divisible, le Québec l'est aussi. OK. Mais les mêmes conditions doivent s'appliquer. Un NON au référendum sur la souveraineté n'est pas automatiquement un OUI à la partition. On peut être un Beaconsfieldien et désirer que le Québec demeure dans le Canada. Mais une fois la souveraineté gagnante, veut-on automatiquement passer aux douanes tous les matins avant d'aller travailler à Montréal ? C'est harassant. Surtout si, en plus, il faut changer son argent…

Ça veut dire que pour se séparer du Québec, ces villes devraient tenir des référendums sur la question auprès de toute leur population et obtenir un OUI majoritaire. Ça prend plus de temps mais, bon, ça fait deux siècles que les Québécois essayent le Canada, les partitionnistes peuvent bien essayer le Québec deux ou trois ans avant de s'en séparer… Il serait d'ailleurs bon que leur question soit très claire et je doute qu'un simple 50 % des voix plus une puisse leur permettre de morceler ainsi le territoire d'un pays. Le Québec indépendant devrait soumettre cette question à sa Cour suprême.

Entre-temps, les West Islanders devront gagner ce référendum. Ce qui pourrait ne pas être une mince affaire. Après tout, il ne s'agit pas d'un bloc monolithique d'anglophones. Les francophones du coin exigeront sans doutes des garanties pour la protection de leurs droits dans un West Island partitionné. Tâche d'autant plus ardue que, ne disposant d'aucun contrôle sur l'immigration, le West Island sera à ce moment envahi d'immigrants Belges, Sénégalais et Vietnamiens qui ne comprendront pas un mot de ce que les partitionnistes leur diront en anglais et qui obtiendront tous très rapidement leur citoyenneté, et donc leur droit de vote, du gouvernement québécois.

Même l'électorat anglophone n'est pas unanimement gagné d'avance. Après tout, se séparer du Québec, c'est abandonner l'électricité du Grand Nord, le blé d'Inde de la Montérégie, les Appalaches... C'est moins grandiose que les Rocheuses mais c'est plus proche... Et puis il y aura sûrement un premier ministre québécois qui viendra leur dire qu'il est prêt à mettre son siège en jeu pour obtenir du changement. Peut-être seront-ils tentés de donner une dernière chance au Québec. (À l'âge qu'ils ont, c'est la seule qu'on a besoin qu'ils nous donnent.) Et si, malgré tout, ils persistent à se séparer du Québec, ça ne se passera pas en criant «Ciseau». Ou plutôt si. Si le Québec est divisible, Pointe-Claire l'est aussi, bordel!

Sans rire, dans le processus de partition du Québec évoqué par Stéphane Dion et soutenu par Jean Chrétien, il faut savoir une chose : la violence n'est pas une option. Comme partout ailleurs où ce genre de stratégie a été utilisée, la violence fait partie de l'équipement standard. Et ils le savent.

RIEN À VOIR DANS L'OBJECTIF

Comme tous ceux qui s'enflamment lors de certaines discussions, on m'accuse parfois de manquer d'objectivité. Et ça m'énerve ! J'aime encore mieux me faire dire que je parle trop fort, que je suis fatiquant ou que je postillonne. Parce que je ne crois pas à l'objectivité. Pour moi, l'objectivité est comme le père Noël : une invention pour âmes crédules. Si plusieurs émissions d'information, d'articles de journaux et de magazines revêtent régulièrement le costume drabe de l'objectivité, c'est pour mieux faire passer l'information. Pour qu'on perçoive chaque nouvelle comme une vérité objective. Or l'objectivité est un mythe. Un masque.

Par exemple, j'ai déjà vu une baisse du prix de l'essence annoncée au *Téléjournal* comme étant une bonne nouvelle. C'est pourtant très relatif. C'est sûr que les automobilistes sont contents mais pour tous ceux qui rêvent du jour où notre avenir ne sera plus entre les mains des dealers de dinosaures décomposés, toute nouvelle encourageant la consommation d'essence est une triste nouvelle.

Au Canada anglais, toute information tendant à démontrer une baisse des appuis à la souveraineté du Québec est présentée comme une bonne nouvelle pour le Canada. C'est bien compréhensible mais qu'on ne vienne plus me parler d'objectivité. Il est objectivement du domaine du possible que la souveraineté du Québec soit une bonne chose pour le reste du Canada. La baisse de l'appui à la souveraineté est une bonne nouvelle pour les fédéralistes et une mauvaise pour les souverainistes. Mais lorsqu'on dit que c'est bon pour le Canada, on démontre son opinion sur la question.

D'ailleurs, je trouve tout à fait normal, bien que dommage, que les médias anglophones soient à 98 % réfractaires à la souveraineté du Québec. De toute façon, il n'y a pas moyen de faire autrement. Pour moi, la seule anormalité, c'est que les médias francophones ne semblent pas souverainistes à 60 %. Mais là n'est pas la question.

Je crois que, comme la subjectivité s'immiscera toujours partout, aussi bien l'assumer. Que les journalistes aient de la mesure, qu'ils soient professionnels et qu'ils observent les deux côtés de la médaille. Mais qu'ils nous disent ce qu'ils pensent. C'est bien beau, les éditoriaux, mais j'en veux plus. Je voudrais que toutes les nouvelles soient comme ça. Ça arrive parfois, le temps d'une conclusion, qu'un reporter se permette un petit punch où on devine son opinion. Ça me fait toujours tripper. Et même si je suis contre, je m'en souviens. J'apprends.

Le principal ennui avec l'objectivité, c'est que c'est d'un ennui ! Voilà ce que ça donnerait, par exemple, s'il fallait que les contes pour enfants respectent les impératifs de l'objectivité. Une phrase comme « Le gros méchant loup attendait à l'orée du bois » serait certainement éliminée. On recevrait d'abord une lettre de la S.P.C.A. : « Vous avez manqué d'objectivité en attaquant la réputation de ce beau mammifère canin qu'est le loup sauvage en utilisant les termes « gros » et « méchant ». Sachez que les loups ne sont pas gros dans le sens d'engraissés comme le sont, hélas, plusieurs chiens domestiques. D'autre part, les loups ne sont pas méchants. S'ils peuvent s'attaquer à l'homme, ce n'est que par besoin de se nourrir ou lorsqu'il a une portée à protéger. Cela est loin de faire de lui un être méchant, contrairement à l'homme qui agit souvent avec l'intention de faire du mal, ce qui est, comme vous le savez, la vraie méchanceté. »

Nous devrions donc dire : « Le loup attendait à l'orée du bois. »

Mais voilà que ce serait une association de parents d'école qui protesterait : « En écrivant simplement que le loup attendait, vous ne précisez pas que ces bêtes sont d'importante stature et qu'ils peuvent être dangereux pour l'homme, d'autant plus dangereux pour un enfant, et qu'en ne les avertissant pas que les loups représentent une menace pour eux, les enfants pourraient en venir à ne pas se méfier et c'est là que nous craignons le pire... »

Pour pouvoir enfin être acceptée de tous, le conte se lirait comme suit : « Un mammifère carnassier de la famille des canidés à pelage gris-jaunâtre et pouvant peser jusqu'à 125 livres communément apellé loup était en position expectative dans la zone végétale située entre la plaine et la zone forestière proprement dite. » Ça ne veut plus rien dire.

C'est un peu l'effet que les nouvelles me font. On me donne des chiffres, on me donne des noms. Mais on ne me donne pas les moyens de comprendre. Les qualificatifs sont bannis. Les mots sont édulcorés. J'aurais pourtant besoin d'une analyse, d'une opinion claire et de son contraire. Mais ce ne serait pas objectif.

Dans toutes ces nouvelles qu'on me sert, il y a bien eu quelqu'un qui a décidé pour moi de ce que j'allais savoir, quelles nouvelles étaient dignes d'intérêt, quels sujets méritaient le plus de temps de couverture. C'est objectif, ça ? Quand on termine le bulletin avec des nouvelles du panda du zoo de San Diego qui va peut-être s'accoupler, j'ai beau trouver ça *cute*, je me demande s'il n'y avait pas quelque chose de plus important à couvrir. Objectivement.

HOWARD STERN : BEAUCOUP DE VENT POUR L'HOMME-PET

Le roi de la *trash radio* américaine, Howard Stern, celui qui a fait de la provocation un mode de vie, se lance à l'assaut du petit marché montréalais. Qu'est-ce qu'on croyait, qu'il allait nous féliciter pour notre belle culture ? Qu'il allait se mettre à expliquer les subtilités de notre réglementation linguistique à ses 20 millions d'auditeurs américains dont la majorité croit que le Groenland est un nouveau parc d'attractions de Walt Disney ? *Come on !*

Le gars ridiculise n'importe qui, y compris et surtout lui-même, et il se fait un malin plaisir à taper dans tous les préceptes de la rectitude politique. Il a insulté tous les groupes ethniques des États-Unis. Son émission débarquant à Montréal, moi, j'étais prêt à parier qu'il insulterait le Québec. En fait, pour un gars qui a déjà fait des jokes sur la fausse couche de sa femme, j'aurais même trouvé inquiétant qu'il ne le fasse pas. Quand tu vaux pas une risée de la part de celui qui se fait une risée de n'importe quoi, tu vaux vraiment pas grand-chose…

D'ailleurs, je me serais attendu à des jokes plus vaches. Là où la foule vociférante reproche à Stern ses propos à l'endroit des Québécois, moi, je lui reprocherais plutôt de ne pas s'être forcé! Pour qu'il aille chercher la vieille joke standard de *stand-up* américain à savoir que les Français n'ont pas résisté aux Allemands pendant la Seconde Guerre mondiale, il fallait vraiment qu'il n'ait rien à dire sur le Québec. Le gars était trop occupé, alors il a pigé dans un sac de blagues usagées sur les Français et les a raboutées pour parler du Québec. *That's it, that's all*. Dans son langage, c'était même une façon un peu nonchalante de nous dire bonjour.

On peut trouver que le personnage manque de classe mais le trouver dangereux démontre une propension nationale à la paranoïa. D'abord, la liberté d'expression existe aussi pour ceux qui disent des niaiseries. Howard Stern a tout à fait le droit de se rendre impopulaire. S'il a à quitter les ondes montréalaises, que ce soit parce que les commanditaires locaux ne veulent pas y être associés, ce dont ils ont parfaitement le droit aussi. Mais tenir une enquête sur les propos du bonhomme comme le suggérait Serge Ménard dépasserait en ridicule tout ce que Stern a pu déblatérer.

Imaginez un clown de rue. Avec le costume bariolé, le groz nez, le cul rembourré, tout le kit. Imaginez qu'il se promène derrière un monsieur en se moquant de sa démarche et en disant : «Oh le méchant monsieur! Oh le vilain méchant monsieur!» Imaginez ensuite que le monsieur appelle la police. Ridicule!

Or, c'est bien ce que Howard Stern est, un clown. De son propre aveu. Le gars peut passer toute une entrevue avec une comédienne en lui parlant de ses gros totons, en long et en large, en courbure et en densité. Il est obsédé par la petitesse de son pénis et ne cesse de fantasmer en ondes sur les lesbiennes. Câline, on parle d'un gars qui a déjà incarné sur scène *Fartman*, l'homme-pet, ce serait tout de même absurde de le prendre au sérieux ! Remarquez qu'ici on est capable de prendre des PET au sérieux. On en a même élu un premier ministre.

Il est vrai que ce qui peut choquer, c'est l'ampleur de l'auditoire de l'émission de Stern et un certain effet d'accumulation. En tant que Québécois francophones, on en a assez des calomnies des anglophones qui trouvent un écho trop souvent complaisant dans les médias américains, confrérie anglo-saxonne oblige. Si Stern avait dit que tout le monde devrait apprendre le français parce que c'est une langue excitante au lit (surtout entre deux bisexuelles à gros totons), il serait aujourd'hui notre héros national. Il s'agirait toujours d'une niaiserie mais elle nous aurait fait du bien.

Mais le ras-le-bol est tombé sur lui. C'est injuste ou, en tous cas, on se trompe de cible en le vitupérant. Lui, il dit des balivernes fofolles en direct de son studio de New York et il n'a aucune crédibilité en ce qui concerne Montréal, pas plus qu'il ne prétend en avoir, d'ailleurs. Mais il y a cet autre Howard, le Galganov, qui, de son studio de Montréal, répand son message. Ce gars-là est allé jusqu'à New York pour tenter de passer pour un martyr linguistique et d'élever Lucien Bouchard au rang de Saddam Hussein dans l'imagerie américaine.

Son échec à New-York connut un vif succès ici. Mais des tas de journalistes anglophones, du

Québec, l'accompagnaient, pleins d'espoir. Et ils continuent, ces répandeurs d'huile sur un feu qui n'est pas encore allumé mais dont ils espèrent toujours l'étincelle, confiants que ce feu purificateur brûlera les Québécois séparatistes et épargnera les loyaux Canadians.

Ce qu'ils ne comprennent pas, c'est que cette attitude met en péril une longue et belle tradition de tolérance québécoise dont certains ont bénéficié au point d'être toujours unilingues anglais. Ça, c'est grave. Même chez les anglophones, plusieurs, loin du vacarme des médias, ne leur pardonnent pas ce gâchis. Quand Howard Stern parle des Québécois, il niaise. Quand Mordecaï Richler parle des Québécois, il ment. Et quand Galganov obtient une émission régulière à la radio : il organise la calomnie en mouvement politique. Et nous, on se choque contre Stern et on rit de Galganov. C'est une grave erreur : il faudrait au moins rire des deux.

NOTRE CULTURE EST DANS LA RUE

Dans le cadre des journées de la culture, nous sommes invités, cette semaine, à réfléchir à la culture, à ce qu'elle représente pour nous. Et nous sommes conviés à toutes sortes d'activités culturelles. Dans l'annonce à la télé, Marcel Sabourin nous dit que la culture, c'est une chanson qu'une mère fredonne à son enfant, que c'est une fourchette bien dessinée et toutes sortes de belles affaires...

Je suis bien d'accord, la culture est partout et dans tout ce que nous faisons. D'ailleurs, je crois que la culture déborde largement le cadre des industries de la culture auquel on tente souvent de la confiner. Tout est marqué par la culture. Cela dit, même si elles sont une initiative très intéressante, les journées de la culture, ça me fait un peu drôle. Pour moi, c'est comme si on parlait des journées de la vie ou de la semaine du monde.

Car la culture, c'est tout. Y compris ce qu'on considère comme pas très culturel. Nathalie Petrowski a beau opposer le noble culturel au bête sportif, un match de hockey est aussi culturel qu'un film d'art et d'essai : c'est décousu et confus mais ça donne un sujet de conversation à ceux qui suivent ça. Plume Latraverse est aussi culturel que Molière, qui pour sa part l'est autant qu'une fourchette bien dessinée. Personne ne peut délimiter la culture, et ceux qui tentent de le faire sont des snobs qui voudraient s'arroger le monopole de la culture. Car la culture est large et l'homme cultivé peut aussi bien parler d'Anton Tchekhov que de Sergeï Federov, même s'ils n'ont pas joué dans la même équipe.

Il ne s'agit pas de diminuer l'art et les grands classiques mais il faut comprendre que la culture est d'abord populaire et spontanée. La culture, c'est la cabane qu'un enfant fait avec des chaises pliantes, c'est les courses de stock car, les boîtes de céréales au bon goût de *great taste*, le manque d'élégance de l'aménagement d'un centre commercial.

Oui, une culture peut être plus ou moins en forme. Elle peut assumer sereinement l'hybridation de plusieurs cultures ou se faire ronger par une autre culture trop puissante. Ça appartient aussi à notre culture que de laisser le cinéma américain envahir nos écrans et de ne donner qu'une part misérable aux productions locales. Ça ne veut pas dire que ça doive le rester.

Pas plus que tous ces réflexes de colonisés qui nous font prononcer n'importe quel mot inconnu à l'anglaise (j'ai déjà entendu parler un Québécois de la ville française de «Strasburgh»). Ou qui nous font parler en anglais dès que quelqu'un s'adresse à nous en français avec un accent. (C'est arrivé souvent à une Chilienne que je connais lorsqu'elle discutait avec des militants péquistes!)

Notre culture populaire n'est tout de même pas que colonisée. Elle est aussi formidablement créatrice. Et ça se voit parfois dans les détails les plus surprenants.

Par exemple, la culture, c'est aussi une façon de traverser les rues. Absolument! Nulle part ailleurs qu'à Montréal cette activité n'est plus culturelle. Pour cela, nous sommes vraiment une société unique et distincte avec foyer principal. Je peux en témoigner en tant que bourlingueur à travers les villes du monde : c'est icitte qu'on l'a, l'affaire.

Dans les pays du tiers monde et les pays latins, les voitures ont tous les droits, il faut que tu te tasses, et ça conduit tellement au klaxon que c'est plus risqué pour un sourd de traverser la rue que pour un aveugle.

Dans les pays anglo-saxons, c'est le pied de la lettre de la loi qui règne. Dès qu'un piéton met le pied dans la rue, les voitures s'arrêtent : le piéton est prioritaire. Mais loin d'abuser de ce privilège, le piéton respecte le code de la route. Il attendra le feu vert pour traverser même s'il n'y a pas d'autos qui croisent son chemin. C'est vrai de vrai, ils attendent la lumière. Et ils traversent à l'intersection.

À Montréal, c'est autre chose! Quel ballet! Une chorégraphie subtile entraîne corps et machines en une symbiose digne du tango. Le piéton s'avance dans la rue dès que l'occasion se présente, n'importe quand. Voyant venir une voiture, il s'arrête presque au milieu de la rue, laissant juste assez de place à la voiture pour passer. L'automobiliste, lui, connaît tacitement son rôle. Il n'a qu'à bien garder sa trajectoire. Tel un toréador véroniquant de sa cape le menaçant bovin fonçant sur lui, le piéton laisse passer la voiture le long de son flanc et oufff... il poursuit prestement son chemin vers l'autre trottoir. Et le plus beau, c'est que comme ça, tout le monde passe en même temps, comme par magie ! Ça, c'est de la culture à l'œuvre, monsieur-dame !

J'y vois la marque d'un peuple, pardon, d'une société unique qui tient aux valeurs de pragmatisme, de bonne franquette et de tolérance avec, en plus, un insoupçonné zeste d'audace. En revenant tout juste de *La Course*, ça m'a vraiment touché. Tellement que je traversais parfois la rue pour rien, juste pour savourer mon retour dans mon foyer culturel.

Alors, en ces journées de la culture, quand vous vous rendrez à une exposition ou à une pièce de théâtre ou un film, je vous invite à savourer aussi le moment où vous traverserez la rue. Ça aussi, c'est de la culture. Celle qui nous réunit d'autant plus que nous en sommes tous les artisans.

TÉLÉVISION : FAUDRAIT-IL COUPER DES POSTES ?

Lors du dernier gala des prix Gémeaux, Guy Fournier a reçu le Gémeau témoignage pour l'ensemble de son œuvre. Dans son discours, il a parlé de son amour pour la télé, des femmes et du nez, comme d'habitude. Mais il a aussi servi à tous un avertissement sur les dangers de la multiplication des canaux de télévision spécialisés. Je trouve qu'il a tout à fait raison.

Présentement, la situation frôle déjà le ridicule. Les câblés se retrouvent abonnés à une myriade de canaux thématiques aux définitions exiguës : Canal-Famille s'adresse aux enfants et Télétoon fait jouer des dessins animés, mais pour tous les âges. Quant au nouveau Canal-Vie, il ne devrait faire compétition à personne puisque ses émissions doivent seulement avoir rapport avec la vie... Canal D diffuse des documentaires mais ne touche pas à l'actualité.

Pour l'actualité, et je me limite aux chaînes francophones, il y a RDI et le nouveau canal-nouvelles de TVA. Je croyais que la multitude de chaînes d'information me permettrait d'en savoir plus sur les dossiers chauds et de comprendre les enjeux mondiaux. Mais je ne suis pas mieux informé, je ne le suis que plus souvent. À RDI, on rediffuse les émissions d'information qu'on peut autrement voir à Radio-Canada. Émissions dans lesquelles on retrouve souvent des reportages européens diffusés dans des émissions de TV5, émissions d'ailleurs souvent reprises par RDI.

Il y a aussi RDS, qui couvre le sport, bien que Radio-Canada, TVA et TQS conservent leur section sport. Tous ces postes nous parlent aussi en long et en large de la météo, alors que Météomédia s'en occupe à plein temps. De toute façon, tout ce beau monde récolte ses données à la même source qui se trompe 50 % du temps et dont on se fout 100 % du temps.

Ma bonne vieille zapette ne suffit plus. Le temps de faire le tour des postes, l'émission à laquelle je voulais revenir est finie. Et il y a d'autres demandes d'accréditation, entre autres pour un canal de décoration. On n'arrête pas la spécialisation.

Et pourquoi pas un canal plomberie. Les plombiers-animateurs y présenteraient leurs conseils dans toutes sortes de shows de chaises aux titres évocateurs comme *Singing in the drain*, *Robinet des bois*, *Flush Gordon* et *Éloge de la fuite*.

Avec la crise actuelle de l'emploi, il est impensable de ne pas déjà avoir un poste entièrement voué à afficher les CV des chômeurs à la recherche d'une job. Une espèce de télé-rencontres d'affaires : « Michel, ici, est récréologue de formation et sagittaire de naissance. Père de son garçon, il possède également une voiture. Il se dit ponctuel, perspicace et ne dédaigne pas le sens de l'humour. Pour lui un bon travail est un travail qui serait efficace et enjoué. Sa définition d'un bon patron? : " C'est ce qu'il me faut", nous dit cet homme qui ne demande qu'un salaire proportionnel à sa tâche et des promenades en voiture. »

Et puis, autant s'y faire tout de suite, un jour où l'autre, nous aurons droit à un canal exclusivement pour les vieux. Car le Canal-Vie n'est pas la seule preuve du vieillissement de la population. Musique Plus est maintenant doublé de MusiMax pour l'auditoire plus adulte qui pense que *Bouge de là* est un camp de torture. Si la tendance se maintient, on peut donc prévoir l'apparition d'une nouvelle chaîne de vidéoclips tous les 15 ans. Avec un canal à eux, les vieux pourraient voir des reprises de vieux téléromans, du temps où ils pouvaient encore les entendre. D'ailleurs, afin de s'adapter à son auditoire, Télésénior devrait sûrement diffuser à un niveau sonore deux fois plus élevé que les autres chaînes. On y enseignera comment installer correctement ses couches Attends et comment s'amuser avec son dentier.

Dans tout cela, qu'est-il arrivé à l'idée de télévision payante? Moi, je n'ai pas du tout envie que mes impôts servent à financer les insignifiances d'un éventuel canal-beauté mais je serais prêt à payer de ma poche pour en avoir un de reporters indépendants. Je trouve que Météomédia, qui n'a pas sa place dans ma séquence de zapping, est une insulte à mon intelligence. Mais le pire, c'est que Météomédia est financée par le fonds des câblo-distributeurs alors que ses cotes d'écoute ne doivent même pas accoter le feu de foyer de TQS. Il y a des animateurs, des génériques, des décors. Une carte avec des dessins pis des chiffres, on aurait compris!

Les seuls gagnants de cette explosion de shows de chaises insipides sont les studios d'infographie, le Père du meuble, les marchands de plantes en plastique et les traducteurs de reportages étrangers. On fractionne le public cible jusqu'à la plus petite miette. Tous ces postes se partageant une ressource publicitaire et subventionelle qui ne grandit pas, les budgets lilliputiens ne permettent aucune réelle innovation à l'écran. La tâche première des créateurs n'est plus de tenter de rejoindre le spectateur. Ils doivent d'abord remplir un créneau, répondre à une commande pour un public étroitement défini par le CRTC ou par les annonceurs. Tout ça en érodant l'auditoire et les budgets des stations généralistes.

Réjouissons-nous quand même. Bientôt, chacun aura son quart d'heure de gloire télévisuelle à un moment ou à un autre. Le gala des Gémeaux s'étalera sur un mois et Échos Vedettes aura 325 pages. Mais je me pose une question : qui va regarder la télé quand tout le monde va être dedans?*

* Ce à quoi l'animatrice, Sophie-Andrée Blondin, a répondu fort à propos : «Mais leur mère, voyons!»

DERBY DE DÉMOLITION

La terre est en danger. Le merveilleux équilibre des écosystèmes qui permet la diversité des espèces est menacé. C'est qu'une espèce est en voie de supplanter toutes les autres par son expansion débridée, et ce n'est pas l'humain car même lui est menacé. C'est le char.

Récemment, j'ai vu un reportage qui m'a complètement badibulgué : la ville de Paris sous le coup d'une alerte à la pollution. Un bon jour (en fait, c'était un très mauvais jour mais l'expression commence mal une phrase), donc, un pas si bon jour où, pour citer Claude Raymond, «le vent était immobile», Paris s'est réveillé en étouffant dans un nuage nocif. On en a rapidement identifié la cause. Non, ce n'était pas le caca de chien sur les trottoirs. C'était le caca des automobiles.

Nous en sommes là. Athènes connaît aussi cette situation régulièrement. Mexico et Bangkok quotidiennement. Quand j'étais petit, les films de science-fiction nous montraient de telles villes, évoquant les lointaines années 2000, étouffées par la pollution des véhicules. Mais au moins, dans ces films, les véhicules pouvaient voler, il n'y avait pas d'embouteillages et les humains pouvaient partir en vacances sur des planètes plus pures.

Or, nous voici pognés à terre avec la pollution et les embouteillages sans pouvoir espérer se mettre au vert (ou au bariolé mauve et orange) sur une quelconque planète exotique. En fait, si des extraterrestres devaient observer de loin la Terre, ils en viendraient certainement à la conclusion que ce sont les voitures qui dominent notre planète.

D'ailleurs, pourquoi pensez-vous que les trois quarts des témoins de supposés enlèvements par les OVNIS rapportent qu'ils ont été kidnappés alors qu'ils étaient en auto? Les E.T., en fait, n'ont probablement qu'un intérêt bien secondaire envers les humains, qu'ils doivent considérer comme de vulgaires parasites. Ils doivent s'adresser directement aux chars (probablement en langage machine) et leur demander «take me to your dealer...» en espérant ainsi rencontrer un jour le grand Cadillac Eldorado en chef.

C'est un peu cette théorie qu'explique l'auteur britannique Ben Elton en introduction de son livre *Gridlock,* un passionnant thriller sur l'absurde hégémonie de l'automobile. L'idée est loin d'être folle. Les chars se multiplient. Leur écosystème, l'asphalte, gruge peu à peu tous les autres. Ils ont réussi à asservir les humains qui exécutent leurs quatre volontés. C'est ainsi que le développement des villes et même des villages, sans oublier celui des banlieues, est entièrement axé sur l'automobile.

Dans *Gridlock*, les extraterrestres se voient forcés d'en arriver à cette conclusion. Bien sûr, au début, ils croient que c'est l'humain qui représente la plus haute forme d'intelligence sur la Terre. Mais ils constatent que l'humain, bien que possédant tous les outils technologiques pour assurer de façon écologique et efficace tous ses déplacements, continue de privilégier la voiture individuelle au détriment du développement d'un réel système de transport en commun.

Dans les régions urbanisées, surtout, il serait techniquement non seulement possible mais même facile de règler les problèmes de la circulation et de la pollution. À Paris, pendant les quelques jours qui ont suivi l'alerte, on a restreint la circulation des véhicules. Des autobus ont été mis à la disposition des citoyens et des voies leur ont été réservées. Ce n'étaient que des mesures d'urgence, le temps que le smog se dissipe. Mais ça a donné l'occasion à tout le monde de voir que ça pouvait marcher. Le problème n'est pas technique.

Dans le film d'Éric Rohmer, *L'arbre, le maire et la médiathèque*, Fabrice Lucchini, excédé par les projets bétonnants du maire de son bled, s'exclame : «La France est aux mains des ponts et chaussées!» La terre entière, en fait, semble leur appartenir, chaque autoroute transamazonienne qui s'ajoute représentant une nouvelle conquête de l'empire de l'asphalte, une nouvelle colonie de l'automobile.

Saviez-vous que les trois grands de l'automobile ont déjà été reconnus coupables par un tribunal des États-Unis de «complot contre l'Amérique»? Il s'agit encore de l'un de ces documentaires que j'ai attrappé au vol en zappant pendant David Letterman mais, si je me souviens bien, des municipalités avait été bernées par le lobby pro-autobus. Des candidats à la mairie grassement financés par GM et compagnie avait littéralement démonisé les tramways électriques, les accusant de tous les maux urbains. Ils proposaient de les remplacer par des autobus flambant neufs qui n'allaient presque rien coûter.

Une fois le bon candidat élu, le programme se mettait rapidement en marche. On se dépêchait d'enlever les rails de tramways et de refaire l'asphalte. Les autobus prenaient leur place et, après à peine quelques semaines d'utilisation, se mettaient à coûter une fortune en pièces puisqu'ils brisaient continuellement. Les citoyens avaient beau réclamer le retour des tramways, il était dorénavant trop coûteux de reposer les rails. C'est ainsi que la majorité des grandes villes nord-américaines, y compris Montréal, se sont retrouvées avec des autobus polluants plutôt que des tramways. San Francisco y a échappé uniquement parce que les pentes des rues sont trop abruptes pour les autobus... Le tramway a pourtant été le moyen de transport en commun le plus populaire et le plus utilisé de l'histoire à Montréal !

Aujourd'hui, les humains considèrent maintenant l'automobile comme un droit, une liberté individuelle qui doit bien être garantie par une charte quelque part. Or, cette belle liberté d'automobilistes est devenue peu à peu un étouffement collectif, un empoisonnement. Pourtant, on semble bien loin d'en tirer les conclusions qui s'imposent. Établir de façon prédominante une autre alternative que la voiture individuelle comme moyen de transport urbain demanderait qu'on balise certaines libertés commerciales mais ça, ça ne se fait plus. Encore moins contre les chars.

C'est que la propagande a porté fruit. Avez-vous remarqué le nombre d'annonces de char qui nous inonde par tous les médias? C'est hallucinant. Et envoye «La passion de conduire» et «Êtes-vous fait pour la passion» et «Pilotes recherchés» et tout le bataclan de Phil et Loulou qui se battent pour avoir le volant. On y voit des voitures rutiler allègrement sur d'interminables routes longeant la mer ou transperçant le désert, alors que ces mêmes véhicules dans la vraie vie passeront 90 % de leur temps à deux pouces d'une minoune sur une rue bossée.

Et tout ce beau rêve qu'on nous vend se transforme en cauchemar pour nos villes. Mais j'ai confiance. La loi de la jungle nous obligera un jour à choisir. Ce sera les chars ou nous. Et tant que les chars ne peuvent pas s'accoupler, on devrait s'en tirer.

SI LES TENDANCES SE MAINTIENNENT

Je ne sais pas si c'est la sournoise influence de la musique techno mais quand on écoute les politiciens, les économistes, les politologues et autres têtes parlantes de notre société, on a l'impression que leurs cerveaux ont été assommés et remplacés par un disc-jockey qui abuse du scratchage de vieux disques. Les mêmes expressions reviennent sans cesse, toujours sur le même ton, dans le même beat, comme si elles sortaient d'un sampler. J'imagine que le but est d'amener la population vers une transe joyeuse où chacun saurait sur quel pied danser mais je n'arrive toujours pas à embarquer. Je n'ai pas dû prendre la pilule qu'il fallait…

Les *greatests hits* de ces expressions, tout le monde les a déjà entendus. Et comme une tite-toune insignifiante dont les directeurs de programmation de ces assommoirs commerciaux qui nous tiennent lieu de radio se seraient entichée, elles risquent de nous rester dans la tête même si c'est de la schnoutte. Ça arrive à tout le monde. On se lève un matin avec la danse des canards dans la tête, on se colle la fredonneuse dans le sirop de poteau de Lara Fabian et on en a pour la journée.

En tête de ce palmarès de fin de millénaire, nous trouvons de belles images futuristes dignes des clubs optimistes. Genre : il faut se préparer à faire face aux défis de l'an 2000. Ah bon ? L'an 2000, sous la forme de je ne sais trop quel Moïse de science-fiction, aurait voyagé dans le temps pour venir nous montrer les tables des nouveaux commandements ? Et si on ne se met pas immédiatement à les respecter, il nous fermera la porte de son royaume. Tous les calendriers vont rester jammés en 1999 et ce sera bien fait pour nous qui ne méritons pas la félicité suprême d'écrire 00 à la fin de la date quand on fait des chèques.

Lors de la dernière campagne électorale américaine, Bill Clinton n'arrêtait pas de dire qu'il voulait construire un *bridge to the 21st century*, un pont vers le 21e siècle. Ah bon. D'abord, je croyais que, comme Noël année après année, tout le monde arriverait à l'an 2000 en même temps. Tout au plus entrevoyais-je devoir enjamber une flaque de champagne entre le 31 décembre 1999 et le 1er janvier 2000. Selon Clinton, il y aurait une rivière. Mais je soupçonne que, quelque part, un contracteur a grassement contribué à la caisse électorale de Clinton en échange du contrat pour ce fameux pont. Paraîtrait que même le parti libéral fédéral a fait ça. Tant que le pont est bien construit, j'imagine que c'est pour notre bien à tous…

Il y a aussi ceux qui proclament gravement que « le 21e siècle sera le siècle de l'information ou ne sera pas ». C'est une expression à choix multiples, ici. J'aurais pu dire : sera celui du développement durable, sera celui des grands ensembles économiques, sera celui de l'égalité des sexes, ou autre.

D'abord, je trouve l'entreprise de baptiser un siècle avant qu'il ne soit fini très hasardeuse, à plus forte raison quand il n'est pas commencé.

Et puis, un siècle, c'est long. Il ne s'agit pas de parler de la journée de la femme ou de la semaine de sensibilisation au suicide, ici. Que des lobbys, aussi légitimes soient-ils, cherchent à commanditer un siècle entier, je trouve ça un peu gros. Et il y a ce : ou ne sera pas. Comme si le 21e siècle devrait être précisément comme ils le pensent, sinon le temps s'arrêtera, la planète explosera. Le 21e siècle sera, tout simplement. Et nous, on a toujours le choix d'être dedans comme on voudra. Est-ce que le pape et les rois d'Europe, au tournant de l'an 1000, proclamaient que le début du premier millénaire serait celui de l'obscurantisme, de l'Inquisition et de la peste ou qu'il ne serait pas? Bien sûr que non. C'est pourtant ce qu'il a été. En y pensant bien, d'ailleurs, le début du deuxième s'annonce vouloir y ressembler beaucoup...

Ce culte des Faith Popcorn et autres futurologues qui nous font le plan marketing de l'avenir a d'ailleurs un effet sournois. En nous faisant croire qu'ils lisent l'avenir, ils nous disent surtout qu'il est déjà écrit et, conséquemment, qu'on ne peut rien y changer. Ceux qui, comme ces Nostradamus de chambre de commerce, prétendent savoir lire l'avenir d'avance devraient se contenter de se préparer en conséquence et de lancer des entreprises qui auront du succès. Mais non, nous assistons à une nouvelle forme du kharma, du destin. La vague de l'histoire est immuablement lancée, il suffirait à tous de savoir faire du surf pour ne pas s'y laisser engloutir. Je n'y croirai jamais. Chaque bulletin de météo est là pour me rappeler que les courants, qu'ils soient sociaux ou climatiques, sont bien trop fluides pour être prévisibles à si long terme. Je trouve insensé de liquider les imperméables parce qu'on nous annonce une sécheresse.

Je suis vraiment tanné d'entendre que la tendance est à la mondialisation des marchés. De la même façon qu'on dit que la tendance est aux leggings ou aux cols roulés. Comme si nos politiques étaient des modes à suivre. «La collection automne-hiver de Mike Harris propose un retour des coupes classiques et des budgets moulants. La social-démocratie est *out* cette année. Par contre, les ceintures sont très *in* et se portent serrées.» Si la tendance était aux emprunts massifs qui augmentent la dette, est-ce qu'on nous dirait qu'il faut s'endetter parce que la tendance est à l'endettement?

En fait, je suis tanné d'entendre parler de tendances en général et le discours ambiant est de plus en plus tendancieux. Dans le Larousse, à «tendancieux», il est écrit : «Qui marque une intention secrète, un parti pris d'imposer une opinion.» Ne nous y méprenons pas, et exigeons de ceux, journalistes et autres, qui devraient nous présenter une analyse sérieuse des événements qui influencent nos vies de cesser de se comporter comme s'ils travaillaient pour un magazine de mode.

LA LEÇON DE CONDUITE DE JACQUES VILLENEUVE

Je ne peux faire autrement que de parler de Jacques Villeneuve. Comme Michael Schumacher l'a appris à ses dépens lors du dernier Grand Prix d'Europe, le sujet est incontournable.

Si j'ai regardé cette ultime course et que j'ai crié de joie en assistant au dépassement historique, je dois avouer que j'ai mis beaucoup de temps à devenir un supporter de Villeneuve. Ça n'a rien à voir avec la jalousie qu'aurait pu susciter en moi comme en bien d'autres hommes l'admiration que porte la gent féminine à ce petit mosus. C'est que Jacques Villeneuve pratique un sport qui m'intéresse bien peu. Je crois en avoir déjà parlé, je ne suis pas du tout un amateur de chars. Et sans sous-estimer l'habileté et la force mentale qu'il faut pour piloter un véhicule de course, je ne peux considérer pleinement la course automobile comme un sport.

Oui, bon, on nous parle d'endurance, de nerfs et de rythme cardiaque mais la Formule Un est aujourd'hui tellement technique que, si on se met à considérer ses pilotes comme des athlètes, il faudra bientôt accepter le Nintendo comme discipline olympique. La plupart du temps, comme disent les spécialistes, tout se joue lors des essais, dans le choix des pneus ou dans les arrêts aux puits. Le jour où le 100 mètres dépendra du laçage de souliers ou de la table de massage, je crois que le monde entier devra se tourner vers le lancer du marteau. Remarquez qu'il se joue déjà dans les urinoirs et le monde trippe pareil.

Je croyais que si les suspensions avaient un rôle à jouer dans ce championnat, ce serait celles des voitures. Or, on a plutôt entendu parler de suspensions de pilotes. Mais quel salmigondis que ces règlements, ces audiences et ces réprimandes! On se croirait en plein débat constitutionnel avec la FIA dans le rôle de la Cour suprême. D'ailleurs, le Grand Prix du Japon n'a été essentiellement qu'une guerre de drapeaux...

Il est cependant indéniable que la F-1 est une compétition de haut niveau et que celui qui se hisse à la première marche de son podium mérite pleinement le titre de champion. Mais surtout, il y a la manière! Et sur ce plan-là, ne serait-ce que par cet unique dépassement qui a vu Schumacher se retrouver dans le champ dans tous les sens du mot, Jacques Villeneuve est un superbe champion. De temps à autre, le sport arrive à créer de ces grands moments, à faire naître des héros qui nous inspirent, des symboles. Et la victoire de Villeneuve nous a fourni un symbole d'une rare beauté, même dans les annales du sport.

Villeneuve a clairement dit qu'il ne voulait pas se mêler de politique. Il est absurde de tenter de récupérer ou de s'approprier un symbole. Libre à quiconque, cependant, d'y puiser, comme d'une œuvre d'art, l'inspiration qu'il veut. Et l'indécrottable souverainiste que je suis n'a pu faire autrement que de voir en cette saison de l'enfant terrible de la F-1 une belle parabole de notre quête nationale. De toute façon, en s'écrasant contre une fleur de lys au Grand Prix de Montréal, Jacques Villeneuve a presque fait exprès de susciter les parallèles politiques.

Voilà un garçon qui est demeuré lui-même malgré la critique. Qualifié d'enfant terrible, il n'a pas eu peur d'affirmer sa différence en arborant sa nouvelle tête blonde. Lorsqu'il a été réprimandé, il ne s'est pas laissé désarçonner. Son rival Schumacher, du haut de sa confiance, laissait entendre au monde entier que Villeneuve était un pilote dangereux, trop rebelle. Jacques est resté calme et résolu, prêt pour le grand rendez-vous.

Puis, vient le temps de LA course. Schumacher prend rapidement les devants et, en plus, il dispose de nombreux alliés dont son fidèle Daniel Johnson : Eddie Irvine. Mais la voiture bleue de Villeneuve se retrouve bientôt tout juste derrière la voiture rouge de Schumacher. (Je sais que c'est presque téteux comme symbolique mais, que voulez-vous, ça adonnait jusque dans les couleurs…)

Au virage propice, alors que ses pneus ne sont pas trop maganés, Jacques tente le dépassement. C'est audacieux mais ça marche. Schumacher devrait laisser passer Villeneuve mais il sait qu'il ne pourra plus le rattraper. Alors, faisant fi de la sécurité de l'un comme de l'autre, il sort le plan B : il refuse de lui céder le terrain. En le sortant de la course avec lui, il sait que le championnat reste au statu quo et que c'est lui qui l'emporte.

Mais Villeneuve tient bon. Surtout, il ne se laisse pas tasser. Il passe, il ne s'écarte pas de sa trajectoire. Schumacher se sort de la piste lui-même. Villeneuve gagne.

Et plus tard, dans la soirée, alors que tous les pilotes sont réunis pour la fête de fin de saison, Jacques Villeneuve sert une bière à Michael Schumacher. Sans rancune. On parle souvent des mauvais perdants. Malgré tout, après sa manœuvre désespérée, Schumacher ne l'a pas été. Il n'avait aucun intérêt à l'être. Mais surtout, Jacques Villeneuve a été bon gagnant. Et ça, c'est un symbole dont nous devons tous nous inspirer.

LA VIE DES GENS RICHES ET CÉLÈBRES

Je suis tanné d'entendre parler des biographies de Céline Dion, mais j'aimerais expliquer pourquoi.

Je ne sais pas comment ça se fait mais on dirait que cette année, il y a eu dans nos médias une enfilade infernale de sujets obligés dont j'étais tanné d'entendre parler dès le début. Ils étaient partout. D'abord, il y a eu cet accident d'avion où Marie-Soleil Tougas et Jean-Claude Lauzon ont perdu la vie, puis les décès de Lady Di et mère Teresa, ensuite l'accident d'autobus de Charlevoix, puis la folie Jacques Villeneuve et maintenant la saga des sagas sur la vie de Céline. Une orgie d'envoyés spéciaux, de bulletins de nouvelles en direct, donnés là où il venait de se passer quelque chose mais où il ne se passait plus rien. Au mieux, on avait droit à de la simple surenchère médiatique. Mais la plupart du temps, j'avais l'impression d'assister à la consécration du voyeurisme comme forme de journalisme.

Le débat sur la valeur des biographies autorisées ou non autorisées de notre Céline nationale vient clairement souligner ce qui fut le thème de l'année : la vie privée des gens riches et célèbres face aux médias.

En fait, même des gens ni riches ni célèbres ont vu les médias se jeter sur eux comme des vautours. Le deuil et la tristesse des parents des victimes de l'accident d'autobus de Charlevoix ont été transformés en spectacle. Leur vie privée devenant soudainement spectaculaire, on leur a foutu des micros sous le nez pour y récolter des phrases sanglotantes. J'ai vu un montage de témoignages au sein duquel se retrouvait l'interview d'une femme. Celle-ci s'estimait chanceuse puisque son père et sa mère, passagers de l'autobus, avaient survécu tous les deux.

Elle était visiblement encore sous le choc et ne savait pas quoi dire. Mais le micro restait là et elle a fini par ajouter : « C'est presque injuste, tsé, moi, mes deux parents ont survécu. J'en vois d'autres, les deux sont morts… Je me disais, je leur en aurais ben laissé un… » Bien sûr, réalisant l'énormité de ce qu'elle venait de dire, la femme a arrêté de parler, mal à l'aise, et le reportage a enchaîné sur un autre témoignage. Au moins, le journaliste a eu la délicatesse de ne pas lui demander lequel elle aurait sacrifié. Ce que cette femme a dit est le genre de choses qu'on dit nerveusement dans ces occasions. Moi, lorsque je rencontre la famille d'un défunt lors de son exposition, j'ai toujours peur de dire « félicitations ». Le journaliste n'a pas eu la décence de laisser cet extrait dans le secret de la cassette.

Déjà qu'on envahit la vie privée des gens ordinaires dès que le spectacle est bon, imaginez maintenant l'enfer que doivent vivre les vedettes. Lady Di en est d'ailleurs morte, martyr des paparazzi, et Céline Dion voit aujourd'hui sa vie intime étalée en long et en large dans des briques plus épaisses qu'elle (c'est qu'elle est longiligne, Céline). Permettez-moi, toutefois, de voir une énorme différence entre ce que vivent les vedettes et ce que vivent les gens ordinaires.

Si les médias n'ont aucune éthique, on peut en dire autant de plusieurs stars. Celles-ci racontent avec complaisance les événements heureux de leur vie privée et voudraient qu'on les laisse en paix quand ça va mal ou que ça ne les sert pas. Il y a pourtant moyen de ne pas tomber dans le piège. Quel en est le meilleur exemple ? Notre champion : Jacques Villeneuve.

Jacques Villeneuve n'a jamais joué la corde du fils de Gilles qui poursuivrait l'œuvre de son père. En fait, il en parlait si peu qu'il y a quelques années les journalistes l'ont soupçonné de manquer de respect envers la légende paternelle. Moi, ça me le rendait plutôt sympathique. Les journalistes, eux, n'ont jamais cessé de jouer les mémères et de lui ramener son père dans toutes les entrevues, dans l'espoir évident de lui tirer une larmoyante déclaration. Il n'a jamais dérogé à sa ligne de conduite.

La réaction du public à la téteuserie de Bertrand Raymond lors de la fête au centre des coupeurs de jobs est d'ailleurs ce qui m'a le plus réjoui. Le public était avec Jacques. Il n'était pas question de laisser le héros du jour se faire traîner dans la sensiblerie. Par son insistance à préserver son intimité, Jacques Villeneuve donne une bonne leçon à tous ces fils de pub qui jouent de leurs vies privées dans les médias pour mousser leur popularité à coups de mariages chromés et de démonstrations publiques de fierté familiale.

Il leur importe peu, à ceux-là, que les projecteurs qu'ils appellent ou qu'ils acceptent (naïvement ?) en viennent un jour à brûler leur vie privée. De toute façon, leurs divorces et leurs chicanes aussi les servent. Si elle avait fait comme Jacques Villeneuve, si toutefois elle le pouvait, peut-être que Lady Di serait encore en vie…

Mais elle ne le pouvait pas puisqu'elle n'était que ça : une image médiatique. Comme toute famille royale moderne, d'ailleurs. Céline Dion est aujourd'hui une célébrité mais elle est d'abord une chanteuse. Elle a des albums à vendre. Elle pourrait s'en tenir à son art et refuser de parler de sa vie privée. Mais elle et René ont décidé de jouer aux gens riches et célèbres et de raconter aux médias les détails de leur conte de fées. Quand on invite des rats à un banquet, il ne faut pas se surprendre de les voir fouiller dans les vidanges.

RAS-LE-BOL DU RAS-LE-BOL

Nul ne peut nier que l'opinion publique est une force agissante dans notre société dite démocratique. C'est d'ailleurs pour cette raison que les politiciens tentent de la harnacher à coup de sondages d'opinion. Nombreux sont ceux qui prétendent au titre de leader d'opinion. Pourtant, il n'y a rien de plus volatil, de plus immatériel que l'opinion publique. C'est l'air du temps, une espèce de moyenne des opinions individuelles. Chacun se fait son idée de l'opinion publique. On écoute les nouvelles, on lit le journal, on discute avec les collègues, on refait le monde autour d'une bière avec les amis, on jase avec le chauffeur de taxi (parce que finalement, ça a pris plus qu'une bière pour refaire le monde) et on a notre échantillonnage maison de l'opinion publique.

Le milieu du sport, avec ses fascinantes lignes ouvertes, est un microcosme idéal pour suivre l'évolution de l'opinion publique. Deux ou trois journalistes disent un jour, mettons, que Jocelyn Thibeault est pourri. Le lendemain, une dizaine d'auditeurs appellent pour dire qu'ils sont d'accord, en soulignant qu'ils l'ont toujours dit, que leur cousin Guy ne les croyait pas, mais que maintenant c'est clair et ils terminent en félicitant le joueurnaliste pour son beau *programme.* Celui-ci félicite à son tour l'auditeur pour son brillant témoignage, vu qu'il vient de dire comme lui. Ceux qui ne sont pas d'accord hésitent alors à le dire. Ensuite, entre chums, on se met à faire des jokes sur Jocelyn Thibeault à l'effet qu'il aurait pour 500 000 dollars de contraventions parce qu'il ne fait pas ses arrêts. Puis, on se la ferme, on rigole et on se met à dire qu'il est pourri, et bien vite on y croit. Quand le temps des jokes est arrivé, il n'y a jamais personne qui prend pour les Newfies.

Tout ça fait boule de neige. Jocelyn Thibeault se retrouve un soir au centre des promoteurs de bières sans saveur et se fait huer par la foule. L'opinion publique. La saison actuelle de Jocelyn Thibeault est une belle preuve que l'opinion publique peut se tromper. Mais il a fallu toute une preuve : il est parmi les meilleurs de la ligue. Et encore, plus personne ne se souvient d'avoir vilipendé le jeune gardien et les joueurnalistes en parlent aujourd'hui comme l'une des belles surprises du Canadien. Eh bien, moi, je l'ai toujours dit qu'il pouvait être bon et mon cousin Guy ne me croyait pas mais, là, c'est clair. On passe à un autre appel.

L'année dernière, il ne servait à rien d'essayer de convaincre l'opinion publique que Jocelyn Thibeault n'était pas si pourri que ça. Il a fallu un coach qui sache le diriger et lui redonner confiance. Il s'est mis à bien jouer et le vent a tourné. C'est pour dire qu'il est inutile de vouloir s'ostiner avec l'opinion publique. Autant essayer de donner l'ordre au vent de virer de bord. Il faut attendre qu'il vire tout seul et dire bien fort : je le savais!

Il y a quelque chose en particulier que j'entends de l'opinion publique dont je commence à avoir ras-le-bol et c'est : le ras-le-bol... Depuis quelque temps, 60 % de mes collègues, amis et chauffeurs de taxi en ont ras-le-bol du débat constitutionnel. Oui, je sais, je reviens encore avec ça, mais je veux justement expliquer pourquoi je reviens toujours avec ça. Je sais que la mode, aujourd'hui, est de dire qu'il y a des enjeux plus importants que la constitution comme l'économie, l'emploi et la lutte à la pauvreté. Bien sûr, ce sont là des préoccupations primordiales, mais j'ai surtout l'impression que, sous le prétexte d'être tanné du débat, il y a l'acceptation d'une défaite. Ce n'est pas en dénigrant la bataille qu'on la gagne. D'ailleurs, il est assez révélateur que les leaders d'opinion anglophones de Montréal semblent beaucoup moins tannés de ce débat que les francophones. Alors que Richard Martineau clame qu'il ne veut plus jamais en parler dans le *Voir*, Peter Scowen en fait pratiquement le titre de son excellente chronique dans le *Hour*.

Oui, le débat est usé et les discours souvent poussiéreux. Il m'arrive d'en avoir ras-le-bol, moi aussi. Mais quand j'entends qu'il faudrait carrément passer à un autre appel, je m'insurge. Si on se met à avoir peur d'être achalants, nous ne pourrons plus faire avancer les choses dans quoi que ce soit. Dans une société démocratique où la bataille se joue dans les médias plutôt qu'à coups d'AK-47, ne pas avoir peur d'être achalant est le seul courage dont on ait à faire preuve face à l'opinion publique que l'on veut conquérir. Pierre Falardeau est achalant. Michel Chartrand est achalant. Parce qu'ils désobéissent à l'apathie. Et quiconque souhaite la souveraineté du Québec a le devoir envers lui-même d'être achalant s'il le faut. Sinon, aussi bien s'écraser en s'excusant d'avoir dérangé et se mettre à suivre le football canadien.

Je ne peux pas croire qu'une cause aussi importante ait une date d'échéance. En fait, je crois que si nombre de souverainistes dans l'âme disent aujourd'hui, comme l'opinion publique, qu'ils ne veulent plus entendre parler de souveraineté, c'est qu'ils ont peur de s'investir moralement. Comme ceux qui, trop passionnés par le Canadien, disent : «Ils vont perdre, ils ne font pas le poids, Thibeault est pourri...» Ils ne se permettent pas l'espoir, de peur qu'il soit déçu. Ceux-là auront beau jeu d'être hystériques si la Coupe Stanley revient rue Sainte-Catherine. Mais en ce qui concerne les souverainistes, cela risque de leur être plus coûteux s'ils renoncent ainsi à s'investir émotivement : ce ne sont pas des partisans, ce sont des joueurs. Si on en a ras-le-bol de la *game,* c'est parce qu'on perd trop souvent. On ne s'en sortira qu'en gagnant. Et pour ça, il va encore falloir achaler bien du monde.

DÉCALAGE MANIFESTE

L'actuelle grève des postes m'amène à réfléchir sur les moyens de pression qu'on utilise de nos jours pour faire plier le gouvernement ou quelque autre boss coupeur de jobs, de salaires ou de conditions de travail. En voyant la file des chômeurs qui ont dû geler dehors avant de pouvoir avoir leurs chèques, j'ai trouvé que les postiers ne s'arrangeaient pas pour rendre le peuple très chaud à leur cause.

Il est évident que tout arrêt dans la distribution du courrier entraîne son lot d'inconvénients. On n'a qu'à penser aux gagnants des sweepstakes qui ne pourront répondre dans les délais voulus pour remporter les millions de dollars qui leur reviennent. N'oublions pas non plus ceux qui perdront la vie dans de sordides accidents parce qu'ils n'auront pas pu continuer une chaîne de lettres... En plus, le temps est bien mal choisi. En cette période des fêtes, la grève des postes nuit à tout un courrier de souhaits ainsi qu'à plusieurs campagnes de bienfaisance comme celles des timbres de Noël. Et puis, ce sera bientôt ma fête.

Il eût été mieux avisé de tenir cet arrêt de travail lors de la période du paiement des impôts. Le gouvernement aurait eu un choix à faire : ne pas pénaliser les retards et, ainsi, tout le monde aurait été très content de la courageuse grève des postiers. Ou exiger des contribuables qu'ils se déplacent pour payer leurs impôts en maintenant les pénalités de retard. Dans ce cas, les lignes de piquetage des postiers se seraient sans doute gonflées de milliers de sympathisants déterminés à faire comprendre le bon sens à ce gouvernement sangsue.

Les grévistes auraient pu décider de continuer le service sans exiger que l'on mette des timbres sur nos envois. Malheureusement, dans l'optique du syndicalisme, on ne fait pas une grève pour se faire des amis mais pour faire mal à son ennemi. Autrement dit, les engelures et gerçures qu'ont subies les chômeurs ne sont que des dommages collatéraux. On s'attend du public qu'il comprenne que nous sommes à la guerre comme à la guerre.

À l'époque des relations de presse, du sondage de popularité, bref, de la médiacrité ambiante qui réduit tout débat à un combat d'images, il me semble que cette attitude n'est pas très adaptée. Bien sûr, les employés d'UPS aux États-Unis ont tenu une longue grève qu'on peut qualifier de traditionnelle et ils ont reçu un très réconfortant appui de l'opinion publique. Ils ont gagné. Mais il s'agissait là d'employés d'une entreprise privée et non d'un service d'État.

Quand le public ne peut se tourner vers d'autres sources pour des services essentiels à sa vie de tous les jours, c'est différent. Sans écarter le recours à la grève, il me semble que les syndicats pourraient mieux soigner leur image.

D'abord, il faudrait peut-être renouveler la discothèque. Je ne sais pas qui a composé le fameux SO-SO-SOLIDARITÉ mais je commence à être tanné de l'entendre à chaque maudite manifestation. D'ailleurs, même ceux qui le chantent me donnent l'impression d'être tannés. Ça sonne mou, un peu comme quand un joueur des Expos obtient un but sur balles alors que l'équipe tire de l'arrière 15 à 2 en fin de 9e. « Enwèye, enwèye ! » Le cœur n'y est pas. C'est la même chose pour le sempiternel CE N'EST QU'UN DÉBUT, CONTINUONS LE COMBAT. On a beau me dire que le militantisme n'est plus ce qu'il était, peut-être qu'il faudrait revoir les arrangements, faire une version hip-hop, quêque chose…

Je me souviens d'ailleurs de mes belles années cégepiennes où nous avions droit chaque année à une grève contre les compressions dans le domaine de l'éducation. Une année, moi et ma gang, on s'était mis à chanter SO-SO-SAUCE SOYA, juste pour faire changement et tout le monde avait embarqué ! Même qu'une fois, pour symboliser les effets des coupures dans les programmes de prêts et bourses, nous avions envoyé un émissaire porter un plat de macaroni Kraft au bureau de Robert Bourassa. Ce fut d'ailleurs le moment le plus surréaliste de ma vie lorsque je me mis à expliquer la symbolique du geste aux 3 000 étudiants rassemblés devant le parlement de Québec et qu'ils se mirent à scander MACARONI !

C'est avec cette sympathique joke qu'on a réussi à avoir un peu de temps de reportage aux nouvelles. Juste avant le bébé panda qui vient de naître dans un zoo. Mais pour le reste, le mouvement n'a rien donné. Il faut dire qu'alors, dans l'opinion publique, les étudiants faisaient plutôt figure d'enfants gâtés.

Ces grèves survenaient étrangement quand il faisait beau et le principal problème du cégep Édouard-Montpetit, à l'époque, était l'agrandissement du stationnement pour les élèves. En plus, j'ai toujours trouvé paradoxal que pour démontrer notre attachement à la cause de l'accessibilité à l'éducation, nous empêchions les cours d'avoir lieu. Il me semble qu'il aurait été plus logique d'occuper les locaux et d'empêcher les profs de sortir. Mais nous étions jeunes et fous et nous ne savions pas trop comment faire.

Le problème, c'est que le culte du spectaculaire que professe nos médias laisse peu de place aux initiatives pacifiques. Ça faisait des décennies que les Indiens revendiquaient pacifiquement. Ça ne donnait rien. Ils ont fini par comprendre et ils se sont trouvé des guns. Ils ont fait la une et la cause a avancé. Bien sûr qu'il s'agissait là d'un événement digne d'une première page. Mais si on accordait un peu plus d'importance aux manifestations pacifiques, peut-être qu'elles suffiraient plus souvent. Chaque fois que je vois une manifestation relatée en page B-8, je me demande combien de temps il faudra avant que ça dégénère en annonce de coupures sauvages ou de conflit violent en page A-1. Les pancartes ne semblent pas influencer grand monde.

Récemment, dans un cégep, un groupe d'étudiants a organisé un cours de désobéissance civile. L'initiative a été controversée mais je crois qu'elle répond à un besoin. En fait, ça devrait être un cours obligatoire. Comme toutes sortes de privatisations, de compressions et d'accords pour lesquels la population n'a jamais donné son accord se trament en sourdine, il pourra bientôt être utile de savoir comment sortir de la page B-8 à coups de pancartes sans se faire d'échardes.

PRIVATISATIONS DANGEREUSES

De nos jours, dans tous les pays du monde, il semble que les gouvernements soient atteints d'une étrange frénésie d'automutilation. Partout, on entend parler d'un État qui pense à privatiser tel ou tel organisme public ou telle ou telle richesse naturelle. Les élus, sans demander son avis à la population, vendent d'importants services et de profitables sources de revenus à des non-élus qui ne doivent de comptes à personne. Servez-vous, messieurs : les portes sont grandes ouvertes aux entrepreneurs et aux industriels. À n'en pas douter, il s'agit ici de portes d'ascenseur. En fin de carrière, les politiciens qui auront servilement tenu leur rôle de portier se verront renvoyer cet ascenseur.

Le prétexte qui nous est donné pour justifier cette vente de garage des biens nationaux, c'est que le secteur privé ferait des miracles de gestion là où les fonctionnaires *loafent,* coûtent cher et offrent un service de piètre qualité.

À en croire la perception populaire, si tu veux qu'une entreprise cesse d'être rentable, il faut la nationaliser ou encore l'implanter dans le Stade olympique. Ça serait le fun de faire un test. On dit que le crime ne paie pas mais tout le monde sait que c'est du *wishfull thinking*. Pour faire en sorte que le crime ne paie vraiment plus, pourquoi ne pas en faire une affaire d'État? Tu crées un organisme, mettons, Cambriolage-Québec, avec comme sigle une lettre Q majuscule et une *crow-bar* pour faire la petite queue. Les voleurs seraient des fonctionnaires payés à salaire et les recettes du recel des biens qu'ils voleraient seraient versés dans les coffres de l'État. Pour chaque quartier, on établirait un quota de vols en partenariat avec les compagnies d'assurances. Il ne resterait plus aux voleurs-fonctionnaires qu'à choisir au hasard les maisons victimes et de procéder, munis de leur permis et de leur camionnette aux couleurs de Cambriolage-Québec.

Si on se fie à ce que l'on connaît des employés du secteur public, on peut se dire que, très tôt, ils ne réussiraient pas à atteindre les quotas fixés. D'abord, parce que les gens se méfieraient dès qu'ils verraient la camionette. Mais aussi parce que les fonctionnaires se mettraient à prendre leurs aises, à prétexter qu'ils ont été empêchés de pénétrer dans la maison par une serrure récalcitrante ou par la présence d'un menaçant caniche. Les victimes trouveraient souvent leur télévision abandonnée dans les escaliers pour cause de charge de travail déraisonnable. Le cambriolage étatisé deviendrait rapidement une retentissante faillite. Quant aux vrais voleurs, ils n'auraient plus aucun moyen d'exercer leur art puisque le gouvernement, dans une âpre lutte contre le travail au noir, les empêcheraient de piller cette richesse nationale que représente le butin volé.

Peut-être trouvez-vous l'idée de nationaliser une activité criminelle plutôt loufoque. Pourtant, il y a quelques années, les casinos étaient illégaux. Aujourd'hui, le gambling est considéré comme une ressource naturelle. Ce même gouvernement-croupier empêche toujours les Indiens de tenir des bingos au noir... Ce qui était autrefois une cause morale n'est devenu qu'une vulgaire guerre de territoire... Mais ça, c'est une autre histoire comme on disait dans les Contes de la Rive.

Le plus étrange, c'est que les casinos de Loto-Québec brisent de façon spectaculaire l'image de l'entreprise publique déficitaire. Ils sont une véritable une mine d'or. Serait-ce que les fonctionnaires peuvent faire du bon travail ? L'opinion publique était pourtant convaincue du contraire, sans doute influencée par les humoristes qui, durant de nombreuses années, ont fait du fonctionnaire le symbole de la paresse. Les jokes qu'on pourrait compiler sur le sujet feraient un livre presque aussi épais que celui des jokes sur les Newfies. Demandez à un haut fonctionnaire combien de gens travaillent dans son service et il répondra : environ le tiers. Pourquoi les fonctionnaires sont bêtes quand on leur téléphone ? Parce qu'on les réveille. Comment un fonctionnaire fait-il un clin d'œil ? En ouvrant un œil...

Bien que plusieurs employés de l'État méritent cette caricature, je la trouve tout de même injuste, en raison de l'impunité relative des autres professions. Connaissez-vous des jokes de banquiers ? De présidents de multinationales ? Si vous en connaissez, s'il vous plaît, faites-m'en part. Il est grand temps de les diffuser. Je crois que ce genre de blagues est plus difficile à faire car, si la paresse et la bêtise sont de bonnes sources de gags, la rapacité et l'hypocrisie qui caractérisent ces emplois du privé n'ont pas de quoi nous faire rire.

En ce qui concerne certains aspects qui touchent à ma vie quotidienne, je fais plus confiance à un Gaston Lagaffe salarié pour le bien commun qu'à un Superman harnaché au profit. L'employeur public a quand même des comptes à rendre devant la population alors que le Superman du profit ne se rapporte qu'aux détenteurs d'actions qui pressent le citron de l'efficacité pour en garder tout le jus.

Je trouverais absurde qu'on privatise la SAQ. L'appareil a beau être lourd, il reste que la SAQ remplit les coffres de l'État là où l'entreprise privée ruserait pour finalement ne payer aucun impôt. Il en va de même pour Loto-Québec, aussi scandaleux que je puisse trouver ses pratiques d'exploitation du rêve. D'autres domaines, comme la santé et l'éducation, devraient également rester publics. De même, bien sûr, en ce qui concerne le symbole parfait de ce que j'avance, l'eau. Il faut le dire haut et fort, particulièrement pour les réseaux d'eau potable des municipalités : «Ça, c'est à nous.» Jamais nous ne laisserons livrer cette richesse essentielle à quelque verreuse Lyonnaise des eaux ou aux bonnes intentions d'un SNC-Lavalin décidément très assoiffé.

La privatisation de l'eau serait un crime. Et nous savons tous que le crime, une fois privé, s'avère dangereusement efficace.

PAS UN CADEAU

Noël arrive à grands pas de claques dans la sloche brune produite par le piétinement fébrile des magasineurs de dernière minute. C'est le merveilleux temps de l'année où chacun démontre son affection à ses proches par l'offrande rituelle de gogosses inutiles. Vous connaissez tous le vieil adage qui dit qu'il y a plus de plaisir à donner qu'à recevoir. Certains cadeaux semblent prendre un malin plaisir à le prouver.

Il est toujours délicat de choisir un cadeau pour un être cher. D'abord, il faut déterminer qui sont les êtres chers, les moins chers et ceux « tout à une piasse ». La façon la plus sage de procéder est de faire un cadeau seulement à ceux qui sont susceptibles de faire de même. Donner un cadeau à une personne qui n'a rien à vous donner en échange peut gêner cette personne et saper tout le plaisir que comporte normalement la réception d'un cadeau. Ce serait du gaspillage, à moins que l'on aime prendre son pied à voir l'embarras d'autrui.

Une fois cette liste établie, il faut choisir ce qu'on donne. Là, deux avenues s'offrent au donateur : le cadeau pratique répondant à un besoin et la belle surprise. À prime abord, il peut sembler plus sûr d'y aller pour le cadeau pratique. Mais attention, si ce cadeau répond à ce point à un besoin, il se peut que le récipiendaire se le soit déjà procuré lui-même, auquel cas votre cadeau devra être échangé peu de temps après Noël, ce qui gruge une journée de congé. Et même si ce n'est pas le cas, sachez qu'en matière de besoins, nul n'est si bien servi que par soi-même. Il y a quelque chose d'absurde à ce que ma petite sœur granole magasine pour un set de tournevis et que mon oncle cherche un livre de cuisine végétarienne.

À mon avis, à l'exception du conjoint qui a passé tout le mois de décembre à vous laisser subtilement comprendre que tel abat-jour en papier de riz ferait merveille au plafond de la chambre, vaut mieux emprunter la voie des belles surprises. Surtout en ce qui concerne les enfants. Pour les grands, tout est question de goût, et ça ne simplifie pas les choses. On a beau dire que c'est l'intention qui compte, j'ai une boîte pleine de ces bonnes intentions, et j'ai bien envie d'en faire don à la voirie de l'enfer. Je me compte chanceux de ne pas avoir connu l'ère du macramé. Pour avoir déjà vu quelques exemplaires de ces hiboux tressés avec des billes de bois pour les yeux, je me dis que ce devait être très pénible à recevoir.

Non seulement ce genre d'objet était une horreur mais, en plus, celui qui vous l'offrait l'avait confectionné lui-même. À la pensée du nombre d'heures durant lesquelles cette personne s'était usé les mains sur la corde brune pour arriver à ce résultat désolant, vous étiez, dès lors, condamnés à recevoir ce merveilleux hibou avec extase et à l'afficher bien en vue. Qui sait combien d'incendies ont été provoqués dans le but de se débarrasser de ces cadeaux que l'amitié empêchait de jeter, mais que le bon goût ne pouvait plus voir ?

Aujourd'hui, nous vivons au règne du cossin manufacturé. Chaque année a son gugusse vedette et je me souviens encore de la fois où quatre de mes tantes ont reçu un « mange-boules », sorte de petit aspirateur à batteries pour éliminer les boules de tissu sur les vêtements. J'étais ébahi par le progrès technologique de notre civilisation capitaliste et par la vacuité de ses manifestations. On s'en rend compte particulièrement dans les échanges de cadeaux au bureau : il faut trouver quelque chose pour le gars de la comptabilité à qui on a dit bonjour deux fois dans l'année et pour qui il faut trouver un cadeau original pour 10 $ et moins.

C'est à ces moments-là qu'on peut se compter chanceux que la Chine existe. La quantité de cadeaux cheaps portant la mention *Made in China* est ahurissante. Leur design a souvent de quoi laisser pantois. J'ai déjà vu un de ces petits globes remplis de liquide et de neige en plastique habité par deux crocodiles qui s'amusaient sur une balançoire. Qui a pensé à ça ? Il a fallu des gens pour penser qu'il y avait un marché pour ça, et d'autres pour passer des journées à dessiner un moule en forme de deux crocodiles sur une balançoire. Avec les griffes et les écailles. Ils avaient même des casquettes ! Wow ! C'est quand même une formidable culture que celle de l'opium...

J'ai bien peur qu'un jour toutes ces patentes, ces aimants de refrigérateur, ces distributrices de café instantané, ces tasses avec des jokes dessus, ces coupe-papier en forme de banane, ces porte-clés qui sonnent quand on les siffle, tout cet amoncellement de gadgets finira par nous engloutir. Il y a un mouvement, le Adbusters, qui propose le *Buy nothing day* dans le temps des fêtes, pour protester contre l'absurdité de notre société de consommation. Ne rien acheter pendant une journée. Des associations de marchands et des grands magasins ont fortement protesté contre cette initiative, allant jusqu'à faire des pressions pour interdire la diffusion d'une annonce publicitaire qui en faisait la promotion.

C'est clair, les libertés commerciales ont désormais plus d'importance que la liberté d'expression, et tenter de freiner la consommation de cossins est un des gestes les plus subversifs qui puissent se faire aujourd'hui. À écouter ces marchands de plastique, il suffirait d'instaurer un deuxième Noël, mettons, le Noël du campeur en plein milieu de l'été, pour relancer définitivement l'économie. En ce qui me concerne, je n'encouragerai pas les sweat shops de machins-pas-chouettes made in China, et j'aimerais qu'on en fasse autant pour moi. C'est que, voyez-vous, la qualité de l'environnement me tient à cœur et, ici, c'est celui de mon appartement qui est en jeu. Au père Noël à qui j'ai jadis réclamé des bebelles, je dis maintenant que j'en ai eu, que je n'en veux plus et qu'il est mieux de ne pas me demander ce qu'il doit faire avec…

Je vous souhaite tous un Schnacker Blacker de beau temps des fêtes.

REVUE DE L'ANNÉE 1997

Maintenant qu'elle tire à sa fin, on peut le dire ouvertement : 1997 a été une année plate. Pas de grandes nouvelles à propos d'un mur qui s'effondre, d'une guerre pour les intérêts pétroliers ou d'un référendum archi-serré. Juste de mièvres conséquences à propos d'un mur effondré, d'intérêts pétroliers et d'un réferendum archi-serré. Rien que de petits scandales, de génocides discrets, de fraudes habiles, d'accords internationaux signés en coulisses, de commentaires sur des commentaires et quelques grands disparus. Je vous propose tout de même un gala de fin d'année où je décerne mes prix aux personnalités et événements les moins insignifiants de 1997. Après tout, si les Félix l'ont fait, pourquoi pas moi ?

Dans la catégorie « Beaucoup de bruit pour rien », plusieurs deuxièmes ex-æquo : le renvoi en Cour suprême à propos de la légalité de la loi québécoise sur les consultations populaires (celui sur le droit de sécession ne sera éligible que l'an prochain), les motomarines et l'absurde débat sur la couleur de la margarine. Mais le gagnant est clairement la légalisation des seins nus pour les femmes en Ontario. D'après tout ce qu'on en a dit, l'Ontario n'est pas une miette plus excitante pour autant.

Pour le trophée «C'est pas beau mais c'est comme ça qu'on va gagner», les partitionnistes et la gang à Raymond Villeneuve se sont livré une chaude lutte, jusqu'à en venir aux coups, d'ailleurs, mais en bout de ligne, il va à Jacques Lemaire et à sa maudite trappe qui se répand dans toute la Ligue nationale de hockey.

Parlant de trappe, le «Fermez-la» de l'année semble encore une fois un des prix les plus convoités. Pour réduire la liste, je n'ai retenu que les candidatures extérieures aux grands partis politiques parce que ça faisait vraiment trop de monde. Il restait quand même pas mal de choix avec les Guy Bertrand, Don Cherry, Howard Galganov et Stern. Mais pour éviter de me faire accuser d'y aller d'un choix partisan, je décerne le prix aux économistes des médias pour l'ensemble de leur discours sur la mondialisation des marchés.

Pour la «Truelle de schnoutte» donnée à la construction créant le plus gros bordel, la Bibliothèque nationale du Québec, le mythique nouveau stade de Claude Brochu au centre-ville et le projet du gros magasin qui va défigurer l'ancienne gare Jean-Talon ont été pressentis, mais comment faire concurrence à Benjamin Netanyahou avec son tunnel sous le quartier palestinien de Jérusalem? Même un abri tempo à Westmount passerait plus facilement.

La «Débarque de l'année» : Monique Simard en a pris une à s'en péter le siège mais le géologue de la frauduleuse compagnie minière Bre-X qui est mystérieusement tombé en bas d'un hélicoptère, quant à lui, a fait mal à plus de bourses. La plus réjouissante débarque de l'année, toutefois, est sans contredit celle de Michael Schumacher qui a permis à Jacques Villeneuve de devenir un dieu vivant.

En passant, maintenant que toutes les chroniqueuses québécoises ont amplement exprimé à quel point elles trouvaient notre bleaché national sexy, alliant un merveilleux corps d'athlète à une personnalité d'intellectuel, même si elles se foutaient royalement de la course automobile, je peux enfin dire que je me suis toujours foutu du plongeon, mais que je trouve Annie Pelletier vraiment très cute avec son merveilleux corps d'athlète et sa personnalité... d'athlète.

Le prix «Chanceux que le ridicule ne tue pas» a échappé à l'entreprise de pusheuse de feuilles d'érables de Sheila Copps tout comme à la déclaration de Jean Chrétien à propos des enfants qui s'amusent avec des armements nucléaires. Lucien Bouchard jurant qu'il est toujours social-démocrate est passé bien près aussi. Mais le prix va à Gilles Duceppe pour son célèbre couvre-chef de fromagerie, prix qu'il doit cependant partager avec tous les analystes politiques qui ont couronné ce faux pas vestimentaire «évènement principal de la campagne électorale». (Oui-oui, il y a eu une élection cette année!)

La «Clé d'or dans la porte» destinée à la fermeture de l'année aurait pu être donnée à l'hôpital Montfort ou aux nombreuses fermetures orchestrées par le ministre Rochon, mais la plus agréable est celle de la boutique d'Howard Galganov. À moins que cela ne soit arrivé l'année d'avant? Pas grave, je suis content qu'elle soit resté fermée.

Pour obtenir la «Censure injuste de l'année», une catégorie en plein essor grâce à nos dirigeants, Howard Stern s'est fait réprimander pour ses propos, tout comme André Pratte avec son syndrome de Pinocchio ainsi que de nombreux manifestants un peu partout. Mais les Rockbitch n'ont même pas eu le temps de s'exprimer avant de se faire bâillonner. Peut-être nos policiers de la culture se sont-ils dit qu'elles aimaient ça...

Le «Ça devait bien arriver un jour» décerné à l'évolution scientifique de l'année consacre ex-æquo la brebis clonée Dolly et l'ordinateur Deep Blue, qui a battu Garry Kasparov aux échecs. Mais ce que peu de gens savent, c'est qu'on a réussi à croiser les deux. Le résultat est un homme frisé qui calcule très bien ses coups : Jean Charest. La question demeure, cependant, à savoir s'il a une âme.

La «Gratte d'or» va ex-æquo au pelletage du fédéral vers le provincial et au pelletage du provincial vers le municipal. Le grand favori pour l'an prochain est le pelletage du municipal vers les citoyens.

Marie-Soleil Tougas et Jean-Claude Lauzon, Lady Di, mère Teresa, l'autobus de Charlevoix et Pierre Péladeau ont fait en sorte que la compétition pour le prix «La mort vous va si bien» destiné au spécial nécro-télévisuel de l'année a été très dure. Mais elle ne fait aucun gagnant.

Quant à ce qui nous a le plus monté au nez, cette année, les producteurs de porc et la pollution des voitures ont bien essayé de prendre la tête, mais ce sont encore une fois les profits records des banques qui méritent le prix «Gorgonzola».

Pierre Bourque, Mom Boucher et Daniel Johnson doivent se partager le prix «Qu'est-ce qu'on va faire avec ?»

L'enquête sur la SQ mérite le prix «La police s'est tassée pis y ont rentré dans le mur».

Le prix «Vos bermudas carreautés vous vont très bien» pour l'insulte polie de l'année va à la proposition de Calgary et au concept de société unique.

Quant à la mégalomanie clinquante de Céline et René et aux bassesses de Bernard Landry pour sauver l'usine Kenworth, rassurez-vous, ils ont aussi remporté des prix. Ils ont simplement été confinés au gala hors-ondes à cause du nom des trophées.

C'est le prix «Cirque du Soleil» décerné à la meilleure performance acrobatique qui a été le plus chaudement disputé. Lucien Bouchard s'est nui en divisant son vote : sa visite en France où il tentait de soutirer l'appui du gouvernement français au projet souverainiste en ayant l'air de parler de business était un beau numéro de clown-équilibriste. Cependant, il a aussi visité la Chine en ne mentionnant jamais le Tibet (qui aurait pourtant bien besoin d'un Charles de Gaulle) tout en continuant de se réclamer du droit à l'autodétermination des peuples pour le Québec. C'est digne d'un grand contorsionniste.

Il se fait pourtant coiffer par les chefs de partis fédéraux qui ont participé au débat télévisé en français lors de l'élection. Lorsque l'animatrice Claire Lamarche est tombée par terre, inconsciente, tous les spectateurs (c'est-à-dire moi et mon chat) purent enfin apprécier le tour de force accompli par Chrétien, Manning, Duceppe, Charest et McDonough. Eux, en effet, arrivaient à rester debout, et même à continuer de parler, malgré leur inconscience totale et prolongée de toute réalité.

Chapeau.

CHAUD VERGLAS

Je dois admettre que je suis parmi les rares chanceux qui n'ont presque pas manqué d'électricité pendant la crise du verglas. Pour moi, cette calamité n'a été qu'une catastrophe sympathique. Je sais que, pour de plus en plus de monde, elle l'est de moins en moins. Mais pour ceux qui, comme moi, n'ont pas été trop touchés, l'expérience a eu quelque chose de romantique. C'est réjouissant de voir les forces de la nature prendre le dessus sur les forces du marché. Ça force les pauvres zélés urbains, qui n'ont jamais le temps de prendre de vacances, à s'arrêter un peu.

Un événement comme celui-là est l'occasion de redécouvrir l'existence de l'obscurité, la vraie, la ténébreuse noirceur des nuits sans lune ni lampadaire, de se réchauffer à la lueur vivante et vacillante des chandelles et lampes à l'huile. On sort les grosses courtepointes et les couvertures de laine qui sentent le coffre de cèdre et on réapprend à dormir collé-collé. D'ailleurs, j'ai bien hâte de vérifier si la rumeur populaire dit vrai et s'il y aura un petit baby-boom dans 9 mois... Combien de couples ont retouvé leur flamme simplement parce que la télévision ne marchait pas?

Bien sûr, les arbres sont dévastés, des dizaines de pylônes se sont écroulés comme des girafes anorexiques et des centaines de poteaux se retrouvent couchés par terre. Tout ça aura certainement un impact non négligeable sur notre vie économique, sociale et même politique. Oui, oui, ce verglas pourrait bien chambarder la prochaine campagne électorale : il n'y aura plus de poteaux pour y brocher les pancartes ! Par contre, il y aurait un moyen de tirer plus de retombées positives de cette plaie d'Égypte-en-Québec : en faire un film.

Dans la lignée des films de catastrophe comme *Titanic* et autres, il y aurait certainement un beau film à faire avec cette apocalypse laminée qui nous tombe dessus. La semaine de cristal : des images d'une beauté surréelle, des drames et des histoires d'amour et de solidarité qui se mêlent comme autant de branches cassées à autant de fils électriques. Un monteur de ligne américain joué par Brad Pitt avec des glaçons dans la barbe tombe amoureux d'une jolie émondeuse québécoise incarnée par Isabel Richer. Ils ne peuvent se comprendre mais l'Américain se fait dire à travers les branches qu'il ne laisse pas la Québécoise de glace. Il apprend quelques mots de français auprès de collègues bilingues en espérant que son accent la fera fondre.

Il y aurait aussi de grands moments comiques dans ce film. Benoît Brière tentant de briser à coups de marteau le moule de glace qui recouvre son auto. Bien sûr, il finit par casser la vitre et passe le reste du film à sacrer contre El Niño alors que lui-même se transforme peu à peu en sculpture de glace !

Mais on revient vite à notre beau Brad qui se décide enfin à avouer son amour à Isabel en quelques mots malhabiles. Il n'a même pas le temps de finir sa phrase : « Voulez-vous cou... » CRAC ! Il se fait électrocuter par un transformateur qui lui tombe en plein visage, symbolisant bien sûr les dangers du coup de foudre.

Le plus beau, c'est que ce scénario est très près de la réalité. En fait, comme dit la commandite, ce drame est rendu possible grâce à la participation d'Hydro-Québec. Elle aurait dû enterrer les fils électriques depuis longtemps mais a préféré économiser à court terme : elle en paye le prix aujourd'hui. Ils auraient pu, à tout le moins, ne pas nous entraîner aveuglément dans la civilisation du tout électrique pour gonfler artificiellement la demande et justifier leurs gros projets. Mais, de toute façon, ça ne les dérange pas : c'est nous autres qui allons payer en bout de ligne.

SÉRIE DE VOLS DE BANQUES

À une époque pas si lointaine, quand on parlait d'une banque dans un journal, c'est qu'elle avait été dévalisée. Aujourd'hui, les banques canadiennes font la une pour une raison plus réjouissante pour elles : c'est pour dévoiler les nouveaux records qu'atteignent leurs profits ou, comme ce fut le cas cette semaine avec la Banque de Montréal et la Banque Royale, pour montrer leurs présidents révélant tout souriants un projet de fusion —qui propulserait la nouvelle entité aux premiers rangs des institutions bancaires internationales —, comme deux tatas de pâtissiers qui poseraient dans le livre des records derrière la plus grosse galette de l'histoire.

Finie donc l'époque romantique où on volait des banques. Nous vivons dans l'ère où ce sont les banques qui nous volent. Oh, elles ne font pas dans le braquage agressif style «Les mains en l'air», non, non. Elles font ça en douce, en répétant des stratégies de pickpockets sur des millions de transactions. Elles y vont d'imperceptibles frais de service pour la moindre baliverne, entre autres, en faisant payer pour l'utilisation du réseau Interac, qui leur permet pourtant d'économiser en mettant à pied leurs caissiers et caissières devenus inutiles. Combien de personnes ont-elles dû défrayer des frais de service pour des erreurs dont leur banque était responsable ? Ma voisine s'est fait demander de payer à sa banque l'intérêt sur une somme que cette même banque lui devait à la suite d'une erreur dans le système informatique. Elle a fini par faire admettre l'erreur à son caissier, mais je ne serais pas surpris si on débitait son compte de 85 cents pour la lettre d'excuse.

Bien sûr, notre argent est encore mieux à la banque que dans un bas de laine, ne serait-ce que pour qu'il continue à ne pas avoir d'odeur. Il n'en demeure pas moins que les banques se servent de nos épargnes pour s'enrichir, en ne versant qu'un tout petit taux d'intérêt, mais que lorsque vient le temps de prêter, le taux augmente radicalement. Le plus humiliant, c'est que malgré leurs profits faramineux, les banques n'ont même pas la décence de mettre à notre disposition dans leurs succursales de petits stylos en bon état de marche. Ben non, boswell, ils ne marchent jamais et, en plus, ils tiennent tellement à ce qu'on ne puisse même pas leur voler qu'ils les attachent au comptoir avec une chaîne !

Ça fait des milliards et ça attache des stylos cheaps avec des chaînes pour pas qu'on leur vole ! Et le plus tordant, c'est que, après tout ça, nos banques ne comprennent pas l'hostilité grandissante de la population à leur endroit. Elles se sentent incomprises, les pauvres. Elles ont même décidé de lancer conjointement une campagne de publicité de plusieurs millions pour nous faire comprendre les réalités du monde financier moderne.

Non contentes de leurs performances de prestidigitation, elles voudraient aussi pratiquer l'hypnose et nous convaincre que chaque milliard de plus dans leurs poches leur permettra de nous offrir un meilleur service... *Come on !*

Il est clair que les dirigeants des banques ne rêvent que de former une seule et immense banque pour mettre à pied des milliers d'employés, se voter des primes de plusieurs millions pour avoir augmenté la rentabilité de leur entreprise, et évidemment maintenir leur politique de stylos cheaps. Ils ne sont pas achalés, comme on dit. Notre Robin des banques arrive à peine à les ennuyer en demandant le droit de présenter ses propositions d'éthique bancaire aux CA des banques en tant que petit actionnaire. (On ne parle même pas de les faire passer.)

Même le gouvernement fédéral commence à être tanné de la boulimie bancaire. La forte réaction du sinistre des fin-finances Paul Martin contre le projet de fusion de la Banque Royale et de la Banque de Montréal semble le prouver. Jean Chrétien a déclaré, et je cite : « Être gros pour être gros, vous savez... Je ne serais pas nécéssairement un meilleur premier ministre si je pesais 350 livres... » Ce n'est hélas pas avec ce genre de déclaration que nos élus vont réussir à contrôler un tant soit peu les appétits des financiers, même si j'avoue que la perspective d'un Jean Chrétien de 350 livres a de quoi faire sourire...

LA SURVIE DU PLUS *CUTE*

Ces jours-ci, l'activiste écologique Paul Watson navigue en eaux canadiennes à bord de son Sea Shepperd III. Bien sûr, le but de ce voyage est la lutte contre l'industrie de la fourrure en général et la chasse au phoque en particulier.

Cette campagne perpétuelle contre la fourrure m'agace pour plusieurs raisons. D'abord, il y a le phénomène de mode. Cette année, entre autres célébrités, Pierce Brosnan et William Shatner sont à bord du Sea Shepherd. Rien de moins que James Bond et le capitaine Kirk. Probablement ont-ils été *castés* pour prouver qu'on peut être un mâle tout ce qu'il y a de toffe, se battre sur grand écran contre tous les méchants du monde et de la galaxie et quand même être sensible aux mieux-être de ces adorables blanchons aux yeux larmoyants.

Leur appui s'ajoute à celui d'une longue liste de vedettes. Les droits des animaux sont probablement la cause la plus populaire à Hollywood actuellement, et la défense des bébés phoques en est l'exemple le plus visible. Des top-models se sont déjà foutues à poil sur un panneau qui déclarait qu'elles aimaient mieux être nues que de porter de la fourrure.

Aussi agréable que soit le spectacle, je me demande quand même qui elles sont pour nous faire la morale, elles qui, ailleurs, se drapent de soie pour laquelle on a asservi des millions de vers, de coton pour lequel on a renversé des démocraties et de cuir pour lequel on a tué certaines de leurs consœurs? Tant qu'il y aura, quelque part dans le monde, un être humain qui ne mangera pas à sa faim, des gens forcés de travailler dans des conditions inhumaines ou toute autre ignominie, la cause de n'importe quel animal m'apparaîtra au mieux comme plutôt mineure.

D'autant plus que, d'après tous les avis sérieux, la population des phoques est loin d'être menacée. Ce serait même plutôt le contraire : depuis que les phoques à capuchons ont été protégés à la suite, entre autres, des interventions de Brigitte Bardot, ils ont tellement proliféré que leur écosystème est en danger. Les bébés phoques qu'on tuait hier à coup de bats de baseball sont en train de crever de faim. Et, contrairement à ceux qui les chassaient, ils ne peuvent pas compter sur le bien-être social.

Il y a quelques années, un organisme gouvernemental a étudié une solution possible à cette surpopulation : administrer aux phoques adultes, par des fléchettes inoffensives, des substances contraceptives. Et je ne blague même pas! J'ignore ce qui est advenu de ce projet. Sans doute a-t-il été mis de côté à cause des problèmes moraux que cela soulevait, notamment, auprès de l'église catholique qui se serait vue dans l'obligation d'excommunier ses premiers pinnipèdes. Peut-être leur a-t-on donné des ateliers sur la méthode Ogino, ce qui expliquerait la surpopulation actuelle... On a fini par réadmettre la chasse.

Contrairement aux phoques, les morues, elles, ont presque disparu du golfe du Saint-Laurent. La surpêche et la pollution sont responsables pour une bonne part de ce déclin mais la surpopulation des phoques n'a sûrement pas aidé. Hélas, aucune célébrité ne vient se pavaner devant les caméras pour défendre les pauvres morues. Même Brigitte Bardot, bizarrement, ignore totalement leur cause.

Le problème, c'est que les phoques font de très beaux toutous, ce qui n'est pas le cas des morues. Ni celui des pêcheurs et des chasseurs terre-neuviens et madelinots au chômage. À la limite, ceux-ci peuvent faire de belles sculptures en bois peinturé mais, pour émouvoir l'opinion mondiale, ça n'accotera jamais un beau Gund moelleux avec un irresistible sourire. Nous sommes ici dans le plus récent chapitre de la théorie de l'évolution, la nouvelle loi de la jungle. Cette loi a ses victimes : les morues, d'une part, mais aussi tous ceux qui auraient aimé tenir un débat réfléchi sur la question et qui se retrouvent devant le discours unanime de vedettes en mal de sauver leur âme. C'est la loi du plus *cute*. Et devant Pierce Brosnan et Cindy Crawford, nos politiciens n'ont aucune chance.

JE NE PENSAIS JAMAIS ÊTRE AUSSI FIER D'ÊTRE ETCHÉTÉRIEN

Nous avons subi, ces derniers temps, une heure de pointe de la pensée canadian qui me donne la nausée. On savait depuis longtemps que Sheila Copps souffrait d'un va-vite de feuilles d'érables mais, avec les Olympiques de Nagano, ça tient maintenant du choléra. Tout ça coïncidant avec le renvoi en Cour suprême à propos de la légalité de la sécession, j'ai moi aussi eu soudainement envie de faire un renvoi.

Jean-Luc Brassard a été le premier à dénoncer les excès du nationalisme canadian à Nagano. Ça prenait du courage. Certains y verront un geste politique. C'est tout le contraire. Il s'agit d'une réaction à un geste politique. Je connais Jean-Luc Brassard pour avoir travaillé avec lui à la réalisation de capsules télévisées pendant les derniers jeux d'été, à Atlanta. S'il a bien des idées politiques, il les gardera toujours pour lui. Il m'a dit qu'il se fait un point d'honneur de ne pas devenir l'instrument d'une cause en raison de sa popularité. Il skie pour lui-même.

Or, en lui plantant le drapeau dans les mains aux cérémonies d'ouverture, on l'utilisait. En faisant un message pro-Canada avec ce qu'il dit au sujet de la complicité qui existe entre lui et son entraîneur canadien-anglais, on harnache ses propos à une cause. Il en va de même pour le consternant message en franglais mettant en vedette Myriam Bédard qui dit «*Thank you* beaucoup» à sa petite pinotte pour avoir appris «Bonjour» à sa gardienne anglophone. C'est une histoire sympathique mais sa récupération politique m'écœure. Souvenez-vous qu'on avait fait la même chose pendant le référendum de Charlottetown avec Edith Butler et Denis Arcand. Je suis tellement tanné de ce placardage d'unifoliés que j'ai été content que les Tchèques gagnent contre le Canada. Je me sens traîné de force au niveau de la guéguerre de drapeaux. On veut m'imposer une identité. Avec mon argent.

C'était déjà assez ridicule quand le Bureau laitier du Canada nous souhaitait la bienvenue au Canada, le pays du cheddar canadien. Remarquez que, au moins, ça nous informait sur le fait que ce n'est pas la Hongrie qui est le pays du cheddar canadien, ni même le Botswana. Il faut comprendre que, dans la stratégie des nationalistes *canadian,* il ne suffit pas d'unifolier tout ce qui bouge. Il s'agit de nier catégoriquement l'existence de quoi que ce soit de québécois. Et là, ce n'est plus drôle.

Dans *Le Devoir* du 20 février 98, Serge Truffaut signe un article sur les résultats du dernier recensement canadien, en 1996. Il dévoile qu'il y avait une première sur le questionnaire en 1996. À la question 17 portant sur les origines ethniques, on a ajouté parmi les réponses suggérées l'ethnie canadienne. Cette question est censée nous renseigner sur les origines des habitants de ce beau grand pays d'immigration. Or, il n'y a pas d'ethnie canadienne, pas plus que d'ethnie québécoise, d'ailleurs. Le mot «Canadien» exprime une identité culturelle (biculturelle, devrais-je dire), pas une origine ethnique.

Alors, si la question 17 porte en réalité sur l'identité culturelle, qu'on le dise, et qu'on ajoute «Québécois» parmi les choix. Mais on y trouve seulement «Canadien». Avec Français, Anglais, Allemand, Écossais, Italien, Irlandais, Chinois, Cri, Micmac, Métis, Inuit, Ukrainien, Hollandais, Indien de l'Inde (alors qu'on n'a pas précisé Français de France...), Polonais, Portugais, Juif, Haïtien, Jamaïcain, Vietnamien, Libanais, Chilien, Somalien et Etchetérien. Mais sans Québécois.

Encore une fois, ce n'est pas que «Québécois» aurait vraiment affaire là. Je sais bien qu'on ne trouve pas non plus Albertain ni Terre-Neuvien parmi les suggestions. Mais «Canadien» n'a pas affaire là non plus et pourtant il s'y trouve. Si «Canadien» s'y trouve, s'il est donc question d'identité, il aurait fallu que «Québécois» s'y trouve aussi, et pourquoi pas «Terre-Neuvien» et «Albertain», tant qu'à y être. C'est ce drôle d'amalgame de concepts qui permet aux statisticiens de conclure que l'ethnie canadienne est à la hausse et que le Canada est le pays le plus canadien au monde tant par sa population que par son cheddar.

Quand on fouille dans les données, on a l'impression qu'on tente de faire statistiquement disparaître les Québécois. Sur le site Internet de Statistique-Canada, on trouve des dizaines de pages expliquant les réponses données à la question 17 du recensement de 1996. On y parle, entre autres, des Acadiens, qu'on a joint à « origines françaises », alors que « Québécois » n'est associé à rien.

En fait, il a fallu que je cherche longtemps pour trouver le mot Québécois. À la toute fin, dans la partie des documents qu'on n'envoie pas dans les communiqués de presse, on a été obligé de d'inscrire le nombre de Canadiens résidant au Québec qui ont indiqué, sans qu'on leur suggère, le mot Québécois à la question portant sur l'origine ethnique.

C'est justement ce que j'ai fait, en 1996, car elle me faisait tiquer la question 17. Quelle ne fut pas ma joie de constater que je n'étais pas le seul : nous sommes 77 960 Québécois. Peut-être qu'un jour on aura notre réserve...

ACHEVÉ D'IMPRIMER
CHEZ
MARC VEILLEUX,
IMPRIMEUR À BOUCHERVILLE,
EN AVRIL MIL NEUF CENT QUATRE-VINGT-DIX-HUIT